Die deutschen Stände in Einzeldarstellungen

Neuausgabe der früheren Monographien zur deutschen Kulturgeschichte

Herausgegeben von Georg Steinhausen

Emil Reicke

Der Gelehrte in der deutschen Vergangenheit

Mit einhundertdreißig Abbildungen

Eugen Diederichs Verlag

Erste, inhaltlich unveränderte Nachdruckauflage der 1924
erschienenen zweiten Original-Auflage des Eugen Diederichs Verlags
zum Alleinvertrieb durch Gondrom Verlag Bayreuth.
Vertriebsrecht exklusiv beim Gondrom Verlag Bayreuth,

Gesamtherstellung: Verlagsdruckerei E. Rieder, Schrobenhausen

Abb. 1. Deutsche Landschaft mit schreibendem Einsiedler. (Maria erscheint dem Evangelisten Johannes.) Holzschnitt vom Monogrammisten H. W. G. nach der Zeichnung von Virgil Solis ca. 1550. München, Kupferstichkabinet. N. M. III, 1722. 2.

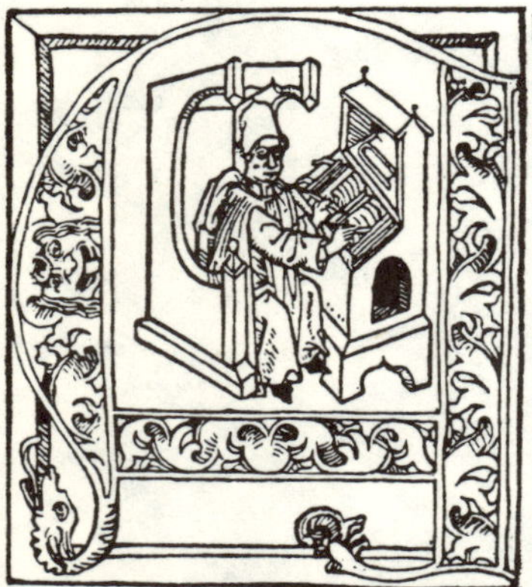

Alle deutsche Kultur beruht auf altklassisch-christlicher Grundlage. So ist auch der deutsche Gelehrte keine ursprünglich deutsche Schöpfung, vielmehr im Anfange nichts anderes als ein auf deutschen Boden verpflanzter Ableger der altklassisch-christlichen Bildung. Bei dem ungeheuren Übergewicht dieser Bildung mußten alle Anfänge spezifisch deutscher Gelehrsamkeit im Keime erstickt werden, konnte sich demnach auch kein aus dem ureignen Geistesleben der deutschen Stämme heraus entstandener, originaler Gelehrtentypus entwickeln. Daß Ansätze dazu vorhanden waren, möchte aber kaum zu leugnen sein. Die Träger einer deutschen Gelehrsamkeit — Wissenschaft wäre zu viel gesagt — würden, wie bei so vielen Völkern, so auch wohl bei den Deutschen in erster Linie die Priester geworden sein. Sie waren offenbar die besten Kenner uralter Rechts-, sakraler und anderer Weisheit, sie waren Medizinmänner und Chirurgen, und mancher von ihnen mag wohl schon so etwas von einem Gelehrten an sich gehabt haben. Freilich waren sie nur wenig zahlreich, sie sind auch erst verhältnismäßig spät, zu Tacitus' Zeiten, nachweisbar. Ob dem deutschen Wodan jener faustisch-philosophische Zug eigentümlich gewesen, den wir bei dem späteren nordischen Odin wahrnehmen, dem weisesten der Asen, dem Erfinder der Runen, dem grübelnden Erforscher jedes verborgenen Geheimnisses, läßt sich mit Sicherheit nicht mehr ermitteln. Auch die Edda giebt uns keine Beantwortung der Frage, wie wohl ein auf sich selbst gestelltes germanisches Geistesleben zur Gelehrsamkeit herausgewachsen wäre. Denn schon die Lieder der älteren Edda sind wahrscheinlich durch christliche und antike Vorstellungen stark beeinflußt, die bei den mythologischen und poetischen Lehren der jüngern Edda offen zu Tage liegen.

Der erste deutsche Gelehrte nun, den man so nennen darf, war Ulfila (wohl 311—381 oder 383), der Übersetzer der Bibel ins Gotische. Und auch er war eigentlich kein Deutscher, wenigstens nicht deutscher Abkunft. Er entstammte einer christlichen Familie aus Kappadokien, die von den Goten um 267 auf einem Raubzuge fortgeschleppt worden war. Seine Bibelübersetzung bezeichnet eine geistige

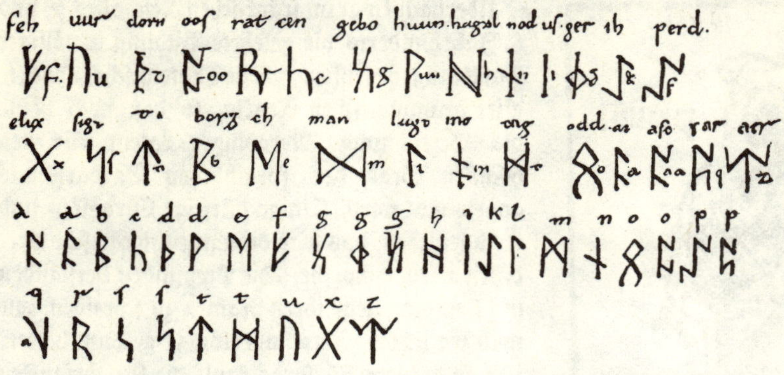

Abb. 2. Runenschrift. Nach einem Codex in der Stiftsbibliothek in St. Gallen.

That ersten Ranges, die gewiß nicht dadurch verkleinert wird, daß man in neueren Zeiten dasselbe, was Ulfila gethan, hunderte von Malen für weit rohere Völker, als die damaligen Goten es waren, mit Erfolg hat durchführen sehen. Es mag dem westgotischen Bischof, der sich sogar sein Alphabet erst herstellen mußte, meist wohl noch härter angekommen sein, die biblischen Schriftsteller gotisch reden zu lassen, als später Luthern, der uns seine mühselige Arbeit beim „Dolmetschen" wiederholt so anschaulich geschildert hat. Und wie Luther meint, daß dazu ein „frommes, fleißiges, gelehrtes Herz" gehöre, so werden wir auch von der gotischen Bibelübersetzung behaupten dürfen, daß nur ein gelehrter und sehr fleißiger Mann sie habe schaffen können. Freilich hatte auch Ulfila gleich Luther seine Helfer, Freunde und Schüler, wie es denn überhaupt nicht sicher ist, was und wieviel von der gotischen Bibel wir ihm allein zu danken haben. Um 405 baten zwei Goten in Konstantinopel, Sunja und Fretila (Frithila), den h. Hieronymus um Auskunft, welch eine Lesart an verschiedenen Stellen der Psalmen dem hebräischen Grundtext am nächsten käme. Mag sein, daß die Genannten zu Ulfila in keiner Beziehung standen, die Nachricht deutet doch immerhin auf einen gewissen gelehrten Eifer deutschredender Männer in der Beschäftigung mit der Bibel. Auch von gotischen Kommentaren zu biblischen Büchern sind uns Reste (Skeireins) erhalten. Im allgemeinen haben aber weder die Westgoten noch auch die anderen deutschen Stämme, die auf dem Boden altrömischer Herrschaft ihre kurzlebigen Reiche gründeten, die Vandalen, Heruler, Ostgoten, Langobarden u. a., an der damals freilich überhaupt stark zurückgegangenen litterarischen Kultur merklich Teil genommen. Die Unfruchtbarkeit des Arianismus, der die Person des Heilands zu vermenschlichen suchte, sie damit aber auch ihres begeisternden, geheimnisvollen Zaubers entkleidete, trug wohl mit daran Schuld. Es war die Form, in der, mehr zufällig als durch innere Bestimmung, die meisten deutschen Stämme zuerst die christliche Religion angenommen hatten. Dem Arianismus fehlte es an jeglichem größeren kirchlichen Verband, jedes Reich hatte seine eigene Kirche. Nicht zum kleinsten Teil infolge dieser Zersplitterung verharrte der deutsche arianische Klerus auf einer weit tieferen Bildungsstufe als der katholische. Das einzige gelehrte Feld, auf dem Angehörige jener verlorenen Völkerschaften etwas Bleibendes leisteten, war die Geschichtsschreibung. Sie fand durch den gotischen Bischof Jordanis und später durch den Langobarden Paulus Diaconus in einer von uns Nachkommen nicht leicht zu hoch geschätzten Weise Vertretung. Daß später Abkömmlinge germanischer Stämme in Italien berühmte Gelehrte wurden, gehört nicht hierher.

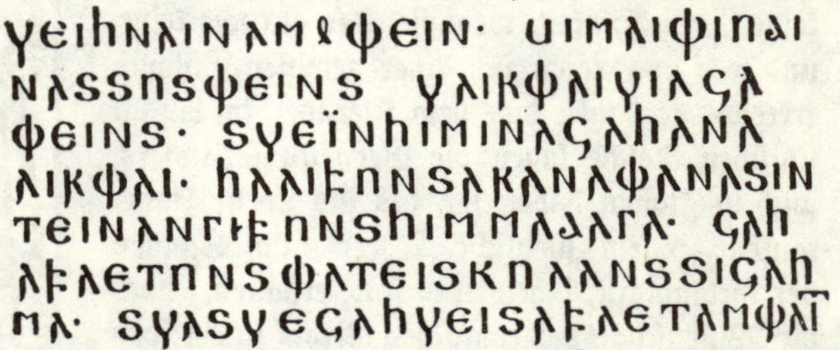

Abb. 3. Schriftprobe aus der Bibel des Ulfilas: veihnai namo thein. quimai thiudinassus theins. vairthai vilja theins sve in himina jah ana airthai. hlaif unsarana thana sinteinan gif uns himma daga. jah aflet uns thatei skulans sijaima svasve jah veis afletam thaim. (Aus dem Vaterunser.)

Abb. 4. Gelehrter am Pult mit Gänsefeder schreibend. (Pittakus von Korinth, einer der 7 Weisen.) Holzschnitt aus: Rudimentum Noviciorum. Lübeck, L. Brandis, 1475.

Ulfila, Jordanis, Paulus Diaconus, sie alle waren Geistliche. Damit ist der Weg vorgezeichnet, der auf viele Jahrhunderte hinaus, von einigen verschwindend geringen Ausnahmen abgesehen, zu den Wissenschaften führte. Die Kirche, selbst als Teil der antiken Kultur von den Germanen übernommen, wurde ihrerseits zum alleinigen Hort aller höheren geistigen und künstlerischen Thätigkeit. Namentlich in denjenigen Ländern, wo die Deutschen es zu bleibenden politischen Schöpfungen brachten, in England, Frankreich, Deutschland gab es die ganze erste (größere) Hälfte des Mittelalters hindurch außerhalb des Klerus keine Gelehrsamkeit, wenigstens so gut wie keine, und wer von Laien sich einer gewissen Bildung erfreute, verdankte dies dem Klerus. Im byzantinischen Reiche lagen die Verhältnisse anders, auch in Italien haben sich bis ins zweite Jahrtausend hinein weltliche Lehrer und Schulen der Grammatik, Rhetorik u. s. w. erhalten. Auch die Wissenschaft des römischen Rechts scheint den Zusammenhang mit dem antiken Rechtsunterricht nie ganz verloren zu haben. Die Rhetorenschulen in Gallien waren aber bereits unter den Merovingern vollständig verfallen.

Überhaupt war im fränkischen Reiche des 7. und 8. Jahrhunderts die gelehrte Bildung in völliger Auflösung begriffen. Das Lateinische spottete aller grammatischen Regeln, so daß noch heute die Bezeichnung Merovinger-Latein für den höchsten Grad des sprachlichen Barbarismus angewandt wird. Einige dürftige Chroniken und Heiligenleben, das war die ganze litterarische Produktion jener Epoche. Die Pippiniden verstanden nicht einmal mehr ihren Namen zu schreiben, wie noch die letzten Merovingerkönige gekonnt hatten. Um so größere Fürsorge fand die Gelehrsamkeit um dieselbe Zeit auf den britischen Inseln, zunächst in den irischen, dann auch in den englischen Klöstern. Neben der kirchlichen wurde auch die klassische Litteratur, damals die einzige Quelle weltlicher gelehrter Bildung, aufs eifrigste gepflegt. Durch die bewundernswerte Missionsthätigkeit der schottischen (mißbräuchlich pflegte das ganze Mittelalter die Iren als Schotten zu bezeichnen) und englischen Mönche wurden Süddeutschland und ein großer Teil Mittel- und Westdeutschlands erst überhaupt dem Christentum gewonnen. Sie legten den Grund zu einer großen Zahl von Bistümern und Klöstern, Regensburg,

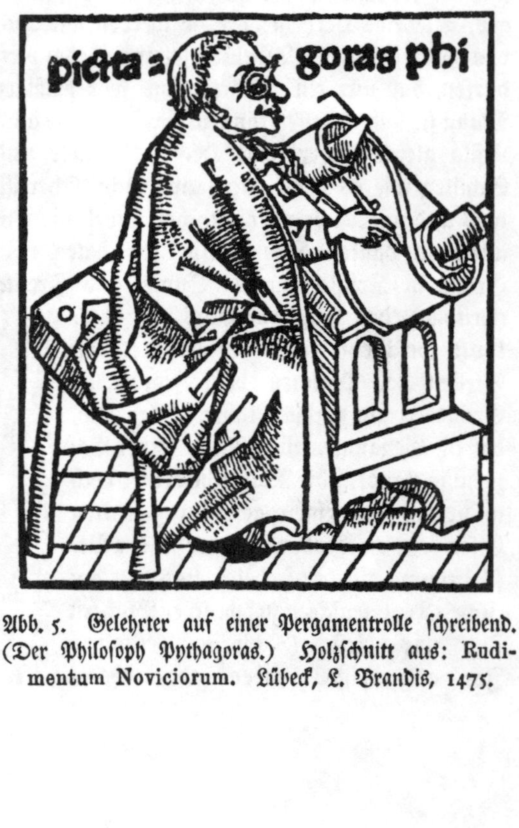

Abb. 5. Gelehrter auf einer Pergamentrolle schreibend. (Der Philosoph Pythagoras.) Holzschnitt aus: Rudimentum Noviciorum. Lübeck, L. Brandis, 1475.

Abb. 6. Gelehrter schreibt seine Beobachtungen nieder. (Der Astronom Aratus.) Holzschnitt aus: Rudimentum Noviciorum. Lübeck, L. Brandis, 1475.

Freising, Würzburg, St. Gallen, Reichenau, Fulda u. s. w.

Kamen nun schon hierdurch wissenschaftliche Bestrebungen von den britischen Inseln auch nach Deutschland, so war es doch viel wichtiger, daß Karl der Große in klarer Erkenntnis dessen, was seinem Reiche not that, die angelsächsische gelehrte Bildung mit bewußter Absicht aufs Festland verpflanzte. Sie rief hier eine vollständige Erneuerung der gänzlich verkommenen litterarischen Kultur hervor. Der vornehmste Träger dieser Bewegung, die man mit Recht als eine Renaissance bezeichnet hat, war der Angelsachse Alcuin, der Leiter, wenn nicht Begründer der Hofschule am Hofe Karls des Großen, später der Klosterschule St. Martin in Tours. Doch haben auch italienische Einflüsse (der Grammatiker Peter von Pisa, Paulus Diaconus, der Geschichtschreiber der Langobarden) stark mitgespielt. Seitdem ist die gelehrte Bildung, mag sie in ihren Formen noch so gewechselt haben, nie mehr aus dem Abendlande verschwunden. Sie hat sich seitdem immer auf einer, ich möchte sagen anständigen Stufe zu halten gewußt.

Im Anschluß an die zuerst durch Alcuin geleitete Hofschule bildete sich am Hofe Karls des Großen eine förmliche Akademie heraus, die durch des Kaisers lebhaften Geist, sein eifriges Interesse für wissenschaftliche Fragen, seine Freude an poetischen Versuchen immer neue anregende Beschäftigung fand. Die ausgezeichnetsten Männer jener Tage waren in ihr vereinigt. Sie versammelten sich zu regelmäßigen Sitzungen, in denen man sich mit antiken oder aus der heil. Schrift entnommenen Namen benannte. So hieß Karl selbst David, Alcuin Flaccus (Horaz), Angilbert Homer, Einhard, der Architekt und Biograph des Kaisers, Beseleel, nach dem Erbauer der Stiftshütte. Vermutlich sollte dadurch der Zwang der höfischen Sitte gemildert, der Ton der geselligen Unterhaltung ein freierer werden. Kaiser, Könige und Fürsten in Deutschland haben sich auch später wohl mit gelehrten Männern, mit Dichtern und Künstlern umgeben. Man denke an die Ottonen, an Maximilian I., an Friedrich den Großen, an Karl August. Einen derartig engen Bund zwischen Macht und Geist, wie er in dieser gelehrt-poetischen Gesellschaft am Hofe des gewaltigsten Monarchen aller Zeiten und Völker zum Ausdruck kam, hat es nie auch nur annähernd wieder gegeben. Er war auch einzig auf die Persönlichkeit des großen

Abb. 7. Gelehrter kopiert aus einem Buch auf eine Pergamentrolle. (Der Philosoph Chilo.) Holzschnitt aus Rudimentum Noviciorum. Lübeck, L. Brandis, 1475

Abb. 8. u. 9. Mönche beim Unterricht. Holzschnitte aus: Rudimentum Noviciorum. Lübeck, L. Brandis, 1475.

Karl gestellt, mit seinem Tode ging er fast spurlos auseinander.

Mit der Hofschule oder der Akademie allein war es Karl nicht gethan. Sein Streben ging auf eine allgemeine, gediegene gelehrte Bildung des Klerus, ja noch mehr auf eine allgemeine Volksbildung. So entstanden an vielen Orten Schulen, an den Bischofssitzen, an bedeutenderen Pfarrkirchen, namentlich in den Klöstern. Die schon vorhandenen gelangten erst jetzt zur Blüte.

Die Regel, nach welcher die deutschen Klöster zu Karls des Großen Zeit lebten, war fast durchweg die Benediktinerregel, auch in den ursprünglich irischen Gründungen. Eine besondere Vorschrift, durch die etwa die Mönche angehalten worden wären, Schulen zu errichten, enthielt dieselbe nicht. Doch da sie außer mit Gebet und frommen Übungen auch mit Handarbeit und asketischer Lektüre ihre Tage füllen sollten, so mußte ein jeder Mönch wenigstens lesen können. Wer es nicht konnte, mußte es eben lernen. Es war also das religiös-praktische Bedürfnis, das die Pflege des Unterrichts zur natürlichen Folge hatte, und Karl verstand es, diesen Umstand aufs nützlichste im Dienste der Allgemeinheit zu verwerten.

Ebensowenig wie das Halten von Schulen hatte der h. Benedikt ein wissenschaftliches Arbeiten den Mönchen zur Pflicht gemacht. Allein auch dieses machte sich ganz von selbst. Die asketische Lektüre erheischte Bücher, und wer war wohl mehr dazu berufen, diese — durch Abschreiben — herzustellen, als die frommen Brüder selber, zu deren Obliegenheiten ohnehin, wie eben gemeldet, die fleißige Arbeit der Hände gehören sollte. Das Beispiel, die Ratschläge des h. Hieronymus und anderer Kirchenväter wirkten mit; das größte Verdienst aber gebührt hier dem einsichtigen Kassiodorus († 562), dem ehemaligen Minister Theodorichs des Großen. Wie er selbst den Abend seines Lebens in dem von ihm gegründeten Kloster Vivarese bei Squillace in stiller, aber mit schriftstellerischer Thätigkeit ausgefüllter Zurückgezogenheit verbrachte, so legte er auch seinen Mönchen das fleißige Abschreiben zunächst christlicher, dann aber auch heidnischer Bücher, weil diese zum Verständnis jener vonnöten wären, als eine Gott wohlgefällige Arbeit auf. Andere Klöster folgten, und so ging das Abschreiben alter Codices allmählich in die Praxis des Benediktinerordens über, der sich, indem er die kostbaren Schätze des klassischen Altertums vor dem Untergang rettete, die Nachwelt zu ewigem Dank verpflichtete. Unabhängig davon wurde in den irischen Klöstern die Thätigkeit des Abschreibens christlicher und altklassischer Litteratur in staunenswertem Maße geübt. Von Irland und vom Benediktinerorden aus — von letzterem allerdings auf dem Umwege über England — sind auch die deutschen Klöster auf die eben besprochene segensreiche Bahn gelenkt worden.

Wer abschrieb oder doch der, dem die Abschrift zu beaufsichtigen oblag, mußte auch den Sinn seiner Vorlage verstehen. Er mußte zum mindesten Lateinisch können, während allerdings die Kenntnis des Griechischen im Abendlande mehr und mehr versiegte. So hatte die rein praktische Thätig-

Abb. 10. Bücherschreibender Gelehrter. Holzschnitt aus der Koberger'schen Bibel. Lyon 1520.

keit des Abschreibens nicht minder wie die in der Mönchsregel geforderte Beschäftigung mit den heiligen Schriften ein gelehrtes Verständnis im Gefolge und sicherte den Betrieb wissenschaftlicher Studien in den Klöstern, deren mit der Zeit sich anhäufende unermeßlich wertvolle Bibliotheken dem suchenden Geiste immer neue und reiche Nahrung boten. Es kam also, daß der Mönch ein Gelehrter wurde und lange Zeit der Gelehrte fast ausschließlich ein Mönch war.

Abb. 11. Mönch mit Schreibrohr und Federmesser. Holzschnitt: Plinius, epistolae. Venedig, J. Rubens, 1519.

Gesellschaftlich rekrutierten sich Mönche wie Weltgeistliche aus allen Ständen, hohen und niederen. Aus vornehmeren Kreisen pflegte ein Zuwachs zum geistlichen Stande gewöhnlich nur dadurch stattzufinden, daß man die Kinder schon in frühester Jugend dazu bestimmte. Da diesen aber in erster Linie die hohen geistlichen Ämter eines Bischofs, Abtes u. s. w. zugänglich waren, war das nichts seltenes, und die Zahl der oblati, der von Kind auf dem mönchischen Leben geweihten, war das ganze Mittelalter hindurch eine sehr große.

Im allgemeinen aber galten Priestertum und Möncherei, also auch die Gelehrsamkeit, mag man ihnen an äußeren Ehren noch so viel eingeräumt haben, dem kriegerischen Geiste unserer Vorfahren doch immer als eine untergeordnete Wirksamkeit gegenüber dem wahren, vornehmen Beruf der heldischen Entwickelung aller adeligen Kräfte. Daran haben auch die Kreuzzüge, die höchste Blüte des christlichen Rittertums, nichts geändert, im Gegenteil. Es blieb nach wie vor die Gesinnung herrschend, die noch Wilibald Pirckheimer in seiner Autobiographie uns widerspiegelt, da er berichtet, welchen Schrecken er empfunden, als ihn sein Vater in seinem 20. Jahre zum Studium bestimmt habe. Denn bei den Deutschen gereiche es dem rittermäßigen Manne zu keiner kleinen Schande, gelehrt zu sein. Jedermann weiß, daß diese Gesinnung auch heute noch nicht ganz verschwunden ist.

Eine Zeitlang freilich, unter Karl dem Großen, schien es, als ob die litterarische Bildung Eigentum auch der Laienwelt, zumal der höheren Stände werden würde. So bedeutende Schriftsteller, wie Einhard und Angilbert, waren Laien, die sich erst in höherem Alter dem geistlichen Stande zuwandten. Mit dem Aufhören des glänzenden Beispiels aber, das der große Kaiser selbst mit unermüdlichem Eifer gegeben, erlosch die Teilnahme der Weltlichen am gelehrten Leben mehr und mehr, um sich während des ganzen Mittelalters in Deutschland wenigstens nie wieder zu einiger Bedeutung zu erheben. Zwar Ludwig der Fromme selbst verstand noch Griechisch und sprach das Lateinische wie seine Muttersprache. Nicht minder haben seine Söhne und auch die nachfolgenden Karolinger eine gelehrte Bildung erhalten. Der Sohn Angilberts und der Bertha, einer Tochter Karls des Großen, Nithard bietet uns das Bild eines tapfern Streiters, der das Schwert mit der Feder vertauschen konnte und die kriegerischen Ereignisse, denen er selbst mithandelnd und kämpfend beigewohnt, anschaulich, wenn auch in etwas rauher — natürlich lateinischer — Sprache zu schildern verstand. Er war aber auch auf viele Jahrhunderte hinaus der einzige Laie, der es nicht verschmähte, zum Geschichtsschreiber zu werden. Konnten doch, während der höchsten Blüte des Rittertums, zu den Zeiten des Minnegesangs ein Wolfram von Eschenbach, ein Ulrich von Lichtenstein nach der gewöhnlichen Auffassung nicht einmal lesen.

Swaz an den buochen stet geschriben,
Des bin ich künstelos beliben,

singt der erstgenannte. Ein Name wie dieser genügt, uns der Pflicht der Dankbarkeit gegen den

Abb. 12. Der h. Hieronymus schreibt in seiner Zelle. Holzschnitt aus der Bibel hrsg. von Nicolaus de Lyra. Lyon, J. Marechal, 1528.

damaligen Ritterstand zu erinnern, der, selbst ohne gelehrte Schulung, uns Nachkommen dennoch einen unerschöpflichen Born der Bildung und des geistigen Genusses zu hinterlassen wußte. Einsichtige Zeitgenossen jedoch, Geistliche wie Ritter, haben diesen Zustand wiederholt und aufrichtig beklagt. Freilich haben viele Kleriker ihren Vorteil dabei gefunden.

Eine weit bessere Bildung als den Männern pflegte aber in Deutschland den Frauen zuteil zu werden. Auch ein paar gelehrte Frauen, die Nonne Hrotsuit (Roswitha), die als Wahrsagerin berühmte h. Hildegard († 1179) mit ihren medizinischen und naturwissenschaftlichen Schriften, endlich die Äbtissin des schöngelegenen Klosters Odilienberg in den Vogesen, Herrad von Landsberg († 1197), der wir eine Art mittelalterliches Konversationslexikon, den sog. Hortus deliciarum, zu deutsch „Lustgarten", verdanken, dürfen hier nicht übergangen werden. Im allgemeinen aber blieb die Gelehrsamkeit immer ein Vorrecht der Männer, im Mittelalter aber eben nicht der Laien, sondern des Klerus.

Natürlich war die Zahl der Gelehrten unter der Welt- und Klostergeistlichkeit jederzeit verhältnismäßig nur eine sehr geringe. Die Führung hatten immer die Mönche, in älterer Zeit allein die Benediktiner, neben denen die später gegründeten Orden der Cistercienser, Prämonstratenser, Karthäuser u. s. w. nur wenig in Betracht kommen. Die Bettelmönche gehören bereits einer späteren Periode der Gelehrsamkeit an. Die eigentliche Blütezeit der Pflege gelehrter Studien ausschließlich oder doch der Hauptsache nach durch die Mönche fällt in die Zeit vom Anfang des 9. bis etwa zum Schluß des 12. Jahrhunderts. Doch sind eigentlich nur die beiden ersten Jahrhunderte, allenfalls noch ein Teil des elften als eigentlich charakteristisch für diese ältere stille Zeit des gelehrten Mönchtums in Anspruch zu nehmen. Durch die Reformbestrebungen der Cluniacenser, durch den erschütternden Kampf zwischen Papst und Kaiser, durch Kreuzzüge und Ketzerkriege wurden auch die Klöster dermaßen aufgerüttelt und mit streitbaren Elementen durchsetzt, daß der sozusagen gemütliche Typus des abseits vom Weltgetriebe fleißig mit der Feder arbeitenden Mönches, wenn auch keineswegs verloren ging, so doch bedeutend in den Hintergrund trat.

Dieser alte, echte Typus des gelehrt thätigen Mönches gestaltete sich wesentlich mit und aus der karolingischen Klosterschule heraus, für die Fulda unstreitig das glänzendste Beispiel darstellt. Schon unter den ersten Äbten des 744 von Bonifatius gegründeten Klosters waren Unterrichtspflege und wissenschaftliche Arbeiten hier heimisch. Abt Baugulf schrieb mit eigener Hand für die Klosterbibliothek die Bucolica des Virgil ab — der Codex ist noch heute erhalten. Begabte Jünglinge, ein Einhard, ein Rabanus u. a. gingen auf Empfehlungen der Äbte an die Hofschule und zu Alcuin und zeigen uns bereits jene leichte Freizügigkeit, die das ganze Mittelalter hindurch in gelehrten Kreisen Sitte blieb. Weithin aber, durch ganz Ost- und Westfrancien erscholl der Ruf der Fuldaer Klosterschule, als der eben genannte Rabanus Maurus, zuletzt selber Abt (822—842), ihre Leitung innehatte. Man hat diesen Mann den ersten „Praeceptor Germaniae" genannt. Aber auch der Ehrentitel des ersten deutschen Gelehrten oder des ersten gelehrten Theologen in unserm Vaterlande ist ihm zu teil geworden. Ebert rühmt an ihm die „wissenschaftliche Universalität, die den deutschen Genius auszeichne, desgleichen die große receptive Anlage desselben und den ausdauernden Fleiß des deutschen Gelehrten, zwei Eigenschaften, die jene Universalität ja zur Voraussetzung habe." Nur überwog eben bei Raban wie überhaupt in der ganzen gelehrten Thätigkeit jener Zeit durchaus das receptive und schulmäßige Element. Seine Werke, die in der ersten nicht einmal vollständigen Ausgabe sechs Foliobände füllen, verfolgen fast ausnahmslos einen pädagogischen Zweck.

Übrigens dürfen wir nie vergessen, daß es auch unter den Weltgeistlichen, namentlich in den höheren Stellungen, damals viele gelehrte und gebildete Männer gegeben hat. Der Bruder Ottos des Großen, der ausgezeichnete Erzbischof Bruno von Köln († 965) überragte vielleicht alle seine Zeitgenossen durch regen Eifer für die Wissenschaft, Burchard, Bischof von Worms (1000—1025), wird als der gelehrteste Kanonist seiner Zeit gerühmt, Bischof Benno von Osnabrück (1067—1088) war vorher einer der gefeiertsten Lehrer — an verschiedenen Domschulen — gewesen. Litterarisch schaffend sind freilich nur wenige aus dem weltlichen Klerus aufgetreten, immerhin müssen wir auch hier eines Wipo, Kaplans und Biographen Kaiser Konrads I., eines Adam von Bremen, Domherrn daselbst, ehrend gedenken. Im allgemeinen aber bleibt der Satz zu Recht bestehen, daß der gelehrte Mönch den Typus des deutschen Gelehrten von dazumal weitaus am reinsten darstellt.

Die uralte Vergangenheit eines frühmittelalterlichen mönchischen Gelehrtendaseins hat einen eigenartig anheimelnden Reiz für uns. Wir denken uns zurück in eine Winternacht etwa des Jahres 900. Eines jener Klöster, die man mit Recht als die Vorposten der christlichen Kultur und Gesittung in Deutschland bezeichnet hat, liegt mitten in der Wildnis auf einer Waldrodung, die die fleißigen Hände der Benediktiner in fruchtbares Ackerland verwandelt haben. Weiter draußen lebt ein rauhes, fast feindlich gesinntes Volk, vielfach noch am Heidentume hängend oder wenigstens an heidnischen Gebräuchen. Tiefer Schnee deckt Wald und Feld. Nacht und Kälte lagern um die Klostermauern, die Wölfe heulen. Aber in einer gewärmten Klosterzelle ist noch Leben. Beim Scheine einer Wachskerze sitzt dort über sein Schreibpult gebeugt der fleißige Mönch und malt mehr, als er schreibt, mit dem Rohr oder der Gänsefeder sorgfältig zierliche Buchstaben aufs Pergament, nach einer Vorlage, die er sich aus der reicheren Bibliothek eines benachbarten Klosters entliehen. Es ist ein Ovidius, den er vor sich hat, wie erfreuen ihn die farbenprächtigen Bilder einer erdichteten Welt, wie labt er — nicht ohne fromme Bedenken — seine Seele an den glücklich geretteten Schätzen des sonnigen Südens!

Dies freundliche Bild erlitt aber oft heftige Störungen. Welch entsetzliches Erwachen, wenn der gelehrte fromme Bruder des Morgens seine Augen aufhob und das umliegende Feld von Scharen seltsam häßlicher, mißtönend sprechender Reiter bedeckt sah, mit glatt rasierten Schädeln, statt der Kleider mit Fellen bedeckt, wie Söhne des Belials, die die Hölle ausgespieen. Es sind Ungarn, abstoßende Gesellen. Wie viele Klöster gingen durch sie in Flammen auf, wie viele Früchte fleißiger Arbeit in den aufgehäuften Bücherschätzen, wie viele Menschenleben wurden von ihnen vernichtet. Der gelehrte St. Galler Mönch konnte noch froh sein, der vor ihrem drohenden Überfall tief in die Einsamkeit der Berge, zu rauschenden Wildbächen sich flüchtete, hier helfen mußte, mit Spaten und Beil eine Verschanzung zu zimmern, und dort bleiben konnte, bis die wilden Rotten sich verzogen. Nicht minder schrecklich als die Ungarn hausten die Normannen. Und auch innere Unruhen, der Kampf der Gegenkönige brachten häufig genug Brand und Verwüstung über die Besitzungen der Klöster und

Abb. 13. Unterricht. (St. Paulus erklärt seine Briefe.) Holzschnitt aus: Erasmus, Paraphrases, deutsch von Leonhard Jud. Zürich, Froschauer, 1522.

Abb. 14. Auf einem Pult schreibender Gelehrter. (St. Markus.) Holzschnitt von H. Schäufelein aus: Luther, Newes Testament. Augsburg, H. Schönsperger, 1523. P. 151.

warfen auch nicht selten in die Klostergebäude selbst die Feuerfackel.

Indes es kamen auch fröhlichere und doch bewegte Tage. Allerlei fremde Reisende, Pilger, die nach dem Süden zogen oder von dort zurückkehrten, fanden gastfreie Aufnahme und brachten mannigfaltige Anregungen in die Stille des Klosters. Bischöfe, Fürsten ließen sich sehen, nicht immer mit Freude begrüßt. Ein seltenes Fest blieb aber immer ein Kaiserbesuch, und wenn nun gar, wie 972 in St. Gallen, zwei Kaiser, Otto I. und Otto II., auf einmal einkehrten, so war dies wohl wert, in den Annalen des Klosters verewigt zu werden. Da hören wir, wie sich der alte Kaiser nach dem greisen Notker, genannt Pfefferkorn, erkundigte, der als Arzt einen großen Ruf hatte. Jetzt war er blind geworden vor Alter. Da gab Kaiser Otto dem eigenen Sohne den Befehl, den gelehrten Mönch zu ihm zu führen. Das that der junge Kaiser und führte ihn an der Hand zum Vater hin, und beide Kaiser küßten den alten Mann und sprachen zu ihm liebreiche Worte. Der aber rief: „O ich glücklichster aller Blinden, dem heute so hohe Führer bescheert sind, wie sie keiner jemals verdient hat." Leider knüpfte sich an jenen Kaiserbesuch für die frommen Väter die unangenehme Erinnerung, daß Kaiser Otto der Sohn eine Anzahl Bücher aus der Bibliothek mit sich nahm, von denen er erst später einige wieder zurückgab.

Wie in keinem gut eingerichteten Kloster eine Bibliothek (armarium), so pflegte darin auch eine Schreibstube (scriptorium) nicht zu fehlen, in der die mönchischen Schreiber gewöhnlich arbeiteten. Man benützte dazu gern schwächliche Leute. Wohl das rührendste Bild eines mönchischen Gelehrten stellt uns jener Herimannus Contractus, Hermann der Lahme († 1054), im Kloster Reichenau vor Augen. Von frühe an gichtbrüchig, zusammengekrümmt, brachte er sein Leben mehr liegend als sitzend in einem Tragstuhle zu, in dem er sich ohne Beihilfe nicht einmal auf die andere Seite wenden konnte. Selbst seine Stimme war nur mit Mühe verständlich. Aber sein Geist war rege wie selten

Abb. 15. Gelehrter an einem Tisch. (St. Lucas.) Holzschnitt von Hans Brosamer 1549. B. 8.

einer; historische, mathematische und astronomische Kenntnisse besaß er in einem für die damalige Zeit hervorragenden Maße. Nicht minder glänzte er als Musiker und Dichter. Seine Gelehrsamkeit und sein liebevolles, trotz seinem Leiden stets heiteres Wesen bewirkten, daß von allen Seiten zahlreiche Schüler zu ihm strömten, die ihm bis an sein Lebensende eine fast kindliche Verehrung bewiesen.

Sonst war der gelehrte Mönch keineswegs durchaus oder auch nur vorwiegend in die Enge des Klosters eingesperrt. Geistig hervorragende Leute ließ man nicht gerne ungenützt. Häufig kamen sie an den Hof des Kaisers, um von diesem später eine Pfründe, ein Bistum verliehen zu erhalten, eine Stellung, die ihnen weiter Gelegenheit gab, viel am Hofe zu verkehren und sich über die wichtigsten Vorfälle der Reichsgeschichte zu unterrichten. Der Geschichtsschreibung, die fast ganz von Mönchen betrieben wurde, konnte dies nur dienlich sein. Andere wieder schlugen den umgekehrten Weg ein. Nachdem sie vorher lange Zeit als Weltgeistliche im öffentlichen Leben gestanden, zogen sie sich, oft schon in mittleren Jahren, meist aber erst in höherem Lebensalter in ein Kloster zurück, um hier ein beschauliches, der Andacht und den Studien gewidmetes Leben zu führen. Bei anderen wieder gewahrt man einen auffallenden Wechsel, ein Schwanken zwischen Abgeschiedenheit und tumultuösem politischen Treiben. So bei Rabanus Maurus, der nach fast zwanzigjähriger Amtsführung seine Würde als Abt von Fulda freiwillig niederlegte und in einer von ihm selbst gegründeten Niederlassung auf dem schöngelegenen Petersberge Einsamkeit und Muße für schriftstellerische Arbeiten suchte. Nur ungern entsagte er fünf Jahre später der ihm liebgewordenen gelehrten Beschäftigung, um nun schon im vorgerückten Alter die auf ihn gefallene Wahl als Erzbischof von Mainz anzunehmen. Es gab aber auch kuriose Käuze, die sich, was namentlich bei den Schottenmönchen

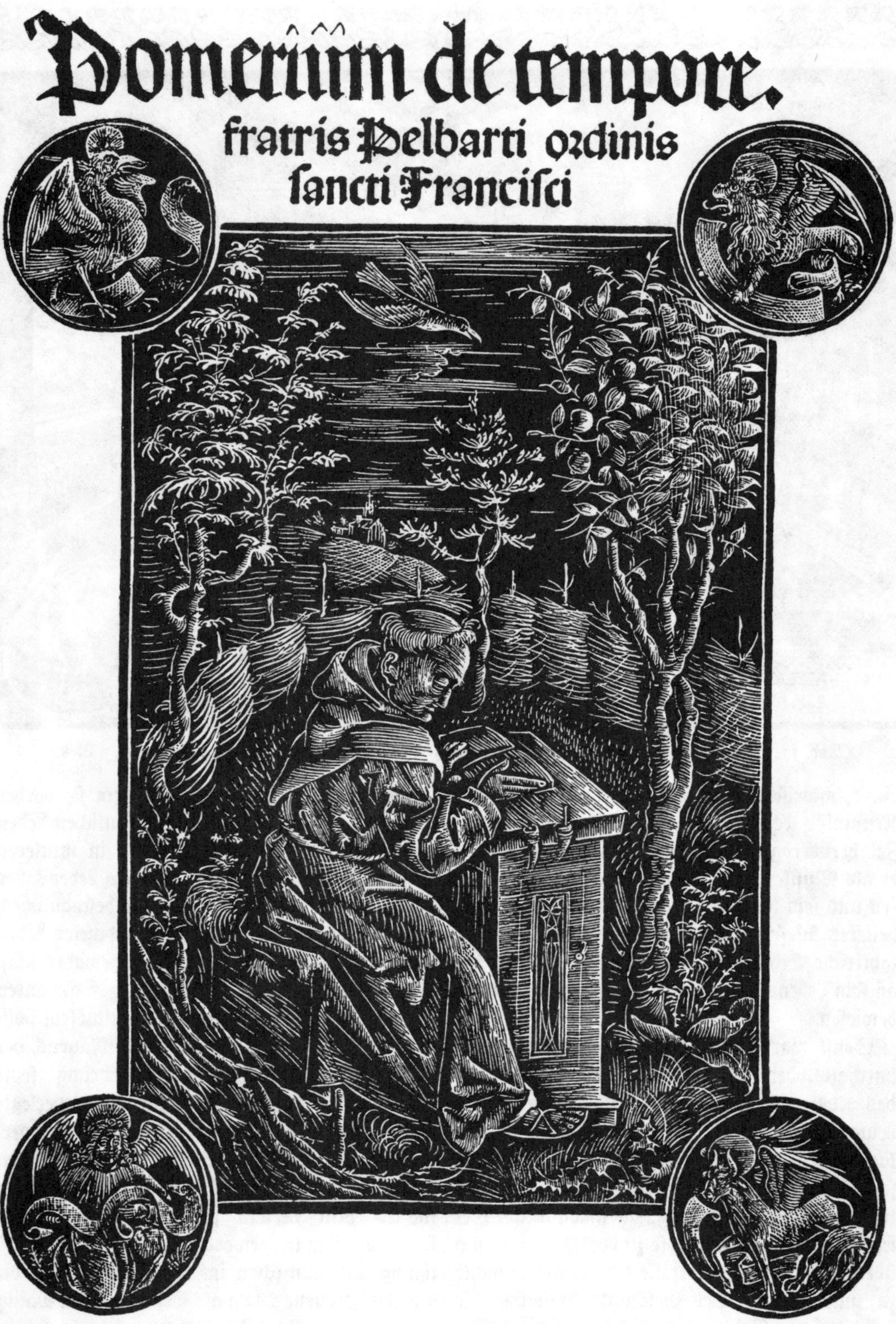

Abb. 16. Lesender Mönch. (St. Franziskus.) (Von den beiden hornförmigen Tintenfässern, die an der Tischplatte angebracht sind, dient das eine für rote, das andere für schwarze Tinte.) Titelblatt zum Pelbartus. Augsburg, Joh. Othmar, 1502.

häufig vorkam, in einer Zelle ihres Klosters einmauern ließen und in dieser seltsamen Lage eine nicht unbeträchtliche wissenschaftliche Thätigkeit entfalteten.

Solch eine freiwillig gewählte Gefangenschaft dürfte heute als nicht besonders förderlich für einen Geschichtsschreiber gelten. Und doch hat einer dieser Eingemauerten, Marianus Scotus († etwa 1083) mit seinem bis auf die eigene Zeit fortgesetzten Chronicon einen bedeutenden Ruf erlangt. Es waren allerdings hauptsächlich die chronologischen Vorzüge, die an diesem Werke bewundert wurden. Für solche, man darf fast sagen, für alle gelehrten Arbeiten waren die Klöster der einzig mögliche Ort. Denn nur hier gab es die nötigen litterarischen Hilfsmittel in den Bibliotheken. Nur ein Mönch konnte damals zu dem Spitznamen des Bücherfasses (vas librorum) kommen, wie im Anfange des 11. Jahrhunderts wegen seiner Gelehrsamkeit der Propst Adalbert von Benediktbeuern.

Wer aber nicht gerade in die Vergangenheit zurückging, etwa um — das gewöhnliche Resultat — die ganze Weltgeschichte in einem neuen Kompendium zusammenzufassen, für den hatte die Geschichtsschreibung etwas stark Praktisches, aus dem Leben genommenes. Es wurden damals nicht so viele Bücher gewälzt wie heutzutage, man verließ sich auf seine eigenen Beobachtungen, auf die Berichte von Augenzeugen u. s. w. Immerhin macht man sich schwer einen Begriff davon, was es in damaliger Zeit bedeutete, aus der Enge eines Klosters heraus Geschichte zu schreiben.

Trotzdem oder gerade deshalb bildet die Geschichtsschreibung einen Ehrentitel in der litterarischen Thätigkeit des mittelalterlichen Gelehrten. Freilich nahm man es dabei mit der Wahrheit nicht immer allzugenau. Nicht nur daß der geschichtschreibende Mönch die Thatsachen von seinem Parteistandpunkte aus verdrehte und entstellte, daß er verschwieg, was zu berühren unangenehm war: auch offenbare Fälschungen selbst von Urkunden waren durchaus nichts seltenes, um wirkliche oder vermeintliche Rechte damit zu stützen. Und es waren nicht die unbedeutendsten und sicher nicht die ungelehrtesten Leute, die sich zu derlei Fälschungen hergaben.

Man dachte in diesen Dingen überhaupt naiver. Das wissenschaftliche Ehrgefühl war noch gänzlich unentwickelt. Daher auch die so häufigen Betrügereien bei Bibliotheken, die es gefährlich machten, ein Buch zu verleihen. Als die St. Galler Mönche vor den Ungarn flüchten mußten, schafften sie ihre Bücher nach Reichenau. Als sie sie wieder zurückerhielten, stimmte zwar die Zahl, aber es waren nicht ganz dieselben. Daher auch die für unsern heutigen Standpunkt so befremdlichen massenhaften Plagiate an Wörtern, Redewendungen und ganzen langen Sätzen, von denen namentlich die Bibel und die antiken Schriftsteller betroffen wurden. Einer der tüchtigsten Historiker des deutschen Mittelalters, Ragewin, übernahm für seine Schilderung der Thaten Barbarossas ganze Seiten aus dem Josephus.

Die Wirkung der Prosa sollte vielfach erhöht werden durch einen reimartig auslautenden Schluß der Satzteile oder sogar durch häufige Einmischung von Versen. Letzteres ist für jene Zeit charakteristisch. Der gelehrte Mönch war meist ein Poet; der Poet, natürlich nur der Kunstpoet in lateinischer Sprache, fast nur ein gelehrter Geistlicher. Das hatte er auf der Klosterschule gelernt, daß ihm die Verse ebenso leicht aus der Feder flossen wie die Prosa. Es war Geschmackssache, nicht sowohl Sache des Könnens, wenn ein Mönch für irgend einen didaktischen Zweck, z. B. ein Geschichtswerk die poetische Darstellung anstatt der Prosa wählte.

Wirkliche Dichter finden sich natürlich nicht allzuhäufig, aber nicht so wenig, wie man dieser Schulpoesie wohl zutrauen möchte. Ich nenne Walahfrid Strabo, zuletzt Abt von Reichenau († 849), deswegen, weil sich in seinen Dichtungen bereits ein feiner Sinn für Naturschönheit kund thut. Sein Hortulus, eine Beschreibung seines Klostergärtchens in 444 Hexametern verrät auch schon jene Liebe zu den Blumen und zur Blumenzucht, der wir gar nicht selten als einer liebenswerten Eigenschaft des deutschen Gelehrten begegnen.

Kümmerlicher war das Vaterlandsgefühl ausgebildet. Es findet sich zwar, z. B. bei Raban und Otfried, als nationales Selbstbewußtsein, trat aber stark zurück hinter dem Gefühl der kirchlichen

Gemeinschaft, bei einem Geistlichen ja erklärlich. Immer aber blieb, wenigstens in der früheren Zeit des Mittelalters bis ins 12. und 13. Jahrhundert hinein, das Interesse an den Dichtern und Schriftstellern des Altertums ein außerordentlich reges. Denn das war nun einmal der unerschütterliche Glaube jener Zeiten, daß das in der Vergangenheit Geleistete völlig unerreicht über der Gegenwart stehe (Hauck). Die Alten waren die ewiggültigen Muster eines schönen und korrekten Stils, aus ihnen lernte man die Grammatik und Orthographie, Rhetorik und Dialektik, Metrik und Poetik, Geschichte und die Königin der Wissenschaften, die Philosophie. Aber auch naturwissenschaftliche und spezifisch fachmännische Kenntnisse in der Geometrie und Arithmetik, in der Astronomie und Musik, im Landbau, in der Kriegskunst u. s. w., gewann man aus ihnen. Das Lehrsystem der sieben freien Künste — wir haben noch davon zu sprechen — war ein allerdings recht dürftiger Niederschlag der antiken Bildung.

Abb. 17. Karthäusermönch. Holzschnitt aus: Conrad' Botho, Cronecken der Sassen. Mainz, Schöffer, 1492.

Die litterarische Hauptbeschäftigung der Mönche und Weltgeistlichen aber war natürlich die mit den heiligen Schriften. Sie schrieb man immer wieder von neuem ab, sie kommentierte und excerpierte man, sie übersetzte man, wenn auch wohl seltener, ins Deutsche. Manche Werke der Kirchenväter, christliche Hymnen und Kultusgesänge, zahlreiche Schriften erbaulichen Charakters standen fast in demselben Range. Zu letzteren haben wir auch die massenhafte Litteratur der Heiligenleben zu rechnen, die durch ihre Übertreibungen in der Erzählung von Wundergeschichten — oft von eben erst gestorbenen Heiligen — recht deutlich zeigen, wie selbst die gelehrtesten Köpfe der damaligen Welt von dem Hange zum Wunderbaren erfüllt waren. Kein Wunder, daß sie sich auch von gewissenlosen Händlern betrügen ließen und kritiklos falsche Gebeine für echte annahmen und als kostbare Reliquien verehrten. —

Die gelehrte Thätigkeit der Mönche war von zwei Hauptgefahren bedroht, die, obgleich völlig entgegengesetzter Art, in ihrer Wirkung doch leicht auf dasselbe hinauskamen. Wir meinen die Gefahr der Verweltlichung und die allzu übertriebene Anspannung der Askese. Ersteres liegt auf der Hand. Namentlich zunehmender Reichtum war eine gefährliche Klippe, an der auf die Dauer wohl sämtliche alten Benediktinerstifter, aber auch die mancher später gegründeten Orden Schiffbruch erlitten haben. Die letzten Jahrhunderte des Mittelalters zeigen uns dieselben den Genüssen dieser Welt meist nur zu sehr ergeben. Aber auch die Weltentsagung, in ihrer strengsten Form durchgeführt, mußte in solchen Klöstern, in denen sie bleibend Fuß faßte, alle höhere geistige Kultur vernichten.

Im 10. Jahrhundert ging von den französischen Grenzlanden aus, insbesondere von dem burgundischen Kloster Cluny, eine neue mächtige Bewegung zu Gunsten einer verschärften Kloster- und Kirchenzucht durch das Abendland. In Deutschland fand diese Richtung nur sehr allmählich Eingang. Die deutschen Benediktiner wollten sich die Freude am Kulturleben nicht rauben lassen. Die alten Klassiker wurden mit innerer Teilnahme gelesen und abgeschrieben, das Schulwesen fand eifrige Pflege, die Askese wurde zwar geschätzt, aber nur mit Maß gefordert. Es

Abb. 18. Lesender Eremit. (St. Antonius.) Kpfr. von A. Dürer 1512. Berlin, Kupferstichkabinet. B. 58.

durfte auch wohl einmal ein kleiner Schabernack das einförmige Klosterleben unterbrechen und bei vollem Glase heitere Laune zum Ausbruch kommen. Wichtiger war es, daß dem Einzelnen trotz der strengen Beobachtung der Regel eine gewisse Freiheit individueller Entwicklung nicht unmöglich blieb. Das war es aber gerade, was die Cluniacenser zu unterdrücken strebten. Eine gleichmäßig disziplinierte, bußfertige Schar sollte die Klöster füllen. Jederzeit sollte der Mönch das bittere Leiden Christi vor Augen haben, sein eigenes Fleisch abtöten und kasteien. Die alten Mönche empfanden das als Scheinheiligkeit, der nationale Gegensatz zwischen Deutschen und Franzosen wirkte mit, und so kam es in vielen Klöstern zu einem heftigen Zusammenstoß der beiden Parteien. Wunderbar genug wurde gerade von den Kaisern, denen der Geist des Cluniacensertums in der Folge am bedrohlichsten werden sollte, die neue Richtung nach Kräften gefördert. So schickte Konrad II. den streng asketisch gesinnten Norpert als Abt in das noch ganz nach der alten gemütlichen karolingischen Tradition lebende Kloster St. Gallen. Wie man sich da mit einander abfand, dafür hat der Geschichtsschreiber des Klosters, Ekkehard IV., ein charakteristisches Wort gefunden, indem er von sich und seinen Mitbrüdern schrieb: Wir leben unter ihm (nämlich Norpert) nicht so, wie er oder wie wir wollen, sondern wie wir können. Anderswo, z. B. in Reichenau, suchten sich die Mönche vor den gottseligen Eiferern durch die Flucht zu retten.

Glücklicherweise gelangte der Zelotismus der übertriebensten Anhänger des neuen asketischen Geistes nicht zum Siege. Es ist wahr, der Abt Majolus von Cluny wandte sich in höherem Alter mit Abscheu von dem „Wahnwitz und den thörichten Dogmen der Philosophen"; in der Zeichensprache der Cluniacenser kratzte man sich wie ein Hund hinter den Ohren, wenn man einen Heiden, d. h. einen Klassiker, meinte — denn der sei doch nicht besser als ein Hund —; im „Erzkloster" Cluny selbst und danach auch in dem abendländischen

Mutterkloster Monte Cassino wurden die Schulen geschlossen. Letzteres, wäre es allgemein nachgeahmt worden, hätte wohl die bedenklichsten Folgen haben können. Dies geschah aber nicht. Im Gegenteil, so störend die neue Richtung auf die den gelehrten Studien mit Lust ergebenen Klöster wirkte, so segensreich war sie für die in weltlicher Pracht und sittlicher Verwilderung verkommenen. Überall, wo die Askese hier ihren Einzug hielt, sehen wir nicht nur das Kloster aus seinem alten Verfall wieder zu neuem Leben und Ansehen erblühen, es wurde auch wieder für einen gründlichen Schulunterricht gesorgt, und die Folge davon war eine vermehrte gelehrte Thätigkeit der Mönche, in der auch die klassische Litteratur nicht vernachlässigt wurde.

Ein Beweis dafür, daß sich die litterarische Kultur zunächst noch wesentlich in aufsteigender Linie bewegte, ist der Umstand, daß die drei bedeutendsten Historiker der Hohenstaufenzeit, Otto von Freising, Ragewin und Otto von St. Blasien, nach dem Urteil wohl des besten Kenners dieser Dinge zugleich auch den Höhepunkt der mittelalterlichen Historiographie bezeichnen und daß der sog. Ligurinus, ein lateinisches Heldengedicht von den Thaten Kaiser Friedrichs des Rotbarts, eine Gewandtheit der poetischen Form und eine Reinheit der Sprache aufweist, die ihn in den Verdacht einer Fälschung der Humanistenzeit gebracht haben.

Abb. 19. Mittelalterlicher Unterricht. Holzschnitt aus: Jtem eyne schone leffliche lere unde underwysinge, wo ein jewelick man syn huss regeren schol. Lübeck, M. Brandis, 15. Jahrhundert.

Die cluniacensische Reformbewegung strebte nach der Reinheit, nicht minder aber auch nach der Herrschaft der Kirche. Dadurch entfachte sie den insbesondere für unser deutsches Vaterland so unglückseligen Kampf zwischen Kaiser und Papst, durch den die schlimmsten Leidenschaften entfesselt wurden. Selbstverständlich, daß in dieser Zeit heftigster Erregung die Streitschriftenlitteratur einen ungeahnten Aufschwung nahm. Um im litterarischen Streit den Gegner zu überwinden, bedarf es nicht nur der Sprachfertigkeit und rhetorischer Überredungskunst, dazu gehört vor allem eine um Gegengründe nicht verlegene, hinreichende dialektische Gewandtheit. Ersteres zu erreichen, dafür war in den deutschen Kloster- und Domschulen gesorgt; hinsichtlich der dialektischen Schulung aber hatte Frankreich seit den Tagen der Trennung vom ostfränkischen Reiche immer einen gewissen Vorsprung gehabt, der sich im Laufe der Jahre mehr und mehr festsetzte. Eine Folge

Abb. 20. Der Himmelsraum. Holzschnitt aus: Livius, Römische Historien. Mainz, Schöffer, 1523.

dieser vorwiegenden Beschäftigung mit den Regeln und Formen des Denkens war das Erwachen einer selbständigen philosophischen Betrachtungsweise und, da diese nach Lage der Dinge doch nur auf die Erkenntnis des christlichen Dogmas sich richten konnte, einer originalen theologischen Wissenschaft, der Scholastik.

Damit wurde Deutschland der empfangende Teil. Und wie die Scholastik zunächst nur in Frankreich erlernt werden konnte, so wurde andererseits Italien der gebende in Bezug auf das Studium des römischen Rechts. Dieses wurde in den Zeiten der letzten Salier in Italien zu neuer Blüte erweckt. Die Deutschen freilich, die schon seit dem 12. Jahrhundert in großer Zahl italienische Rechtsschulen aufsuchten, Bologna, Padua, Perugia u. s. w., waren Kleriker, und diese studierten nicht eigentlich das römische, sondern das kanonische Recht, dessen Kenntnis in Italien gleichfalls gründlicher erlangt werden konnte als in Deutschland. Indes wurde auch das weltliche Recht von den Klerikern trotz anfänglicher päpstlicher Verbote nicht vernachlässigt, da es ja immer eine gewisse Geltung in der katholischen Kirche des Mittelalters bewahrt hatte.

Schließlich sei noch daran erinnert, daß auch das medizinische Studium in den romanischen Ländern, insbesondere in den weltberühmten medizinischen Schulen von Salerno und Montpellier, schon im 12. Jahrhundert in großem Rufe stand und auch hierin Deutschland von fremden Nationen lernen mußte.

Wir wissen bereits, daß auch die cluniacensische Kloster- und Kirchenreform von Frankreich ausging. In Frankreich nahmen auch die Kreuzzüge ihren Ursprung, in Frankreich und Italien die ketzerischen Sekten der Waldesier und Albigenser, und daß die deutsche Litteratur und Kunst (die Gotik), die Sitten und Moden des Rittertums fast durchweg auf französische Vorbilder zurückgingen, ist ja hinreichend bekannt. Die langsame Entwicklung Deutschlands in allen diesen Dingen — von den Gründen dafür sprechen wir bei anderer Gelegenheit — erklärt es, daß auch in den äußeren Formen, in denen sich fortan das gelehrte Wesen vorzugsweise bewegen sollte, Italien und Frankreich durchaus bestimmend gewesen sind. Wir meinen die Universitäten, als deren älteste die städtischen Universitäten Italiens anzusehen sind, die sich direkt aus den römischen Rechtsschulen entwickelt haben (seit dem 11. Jahrhundert). Doch darf den französischen Hochschulen kaum ein geringeres Alter zugeschrieben werden. Sie entstanden aus dem Leben und Treiben verschiedener Kreise von Lehrern und Schülern, zum Teil im Anschluß an bestehende Kirchen- und Klosterschulen, vorwiegend aber ohne diesen aus einer rein privaten Lehrthätigkeit hervorragender Gelehrter. Solche Männer, die aus dem Lehren einen Lebensberuf machten, waren z. B. Berengar von Tours, Lanfrank, Wilhelm von Champeaux, Abälard, der interessanteste Gelehrte des Mittelalters, u. a. Der Einfluß kirchlicher und weltlicher Behörden auf die zu einer Universitas sich zusammenschließenden Studienkreise wurde nach und nach beseitigt. Es bildeten sich landsmannschaftliche Vereinigungen von Lehrern und Studierenden, die sog. Nationen; diese wählten sich einen Rektor als Oberhaupt der gesamten Universität; die Lehrenden sonderten sich in Fakultäten, und diese erwarben bald das wichtige Recht, akademische Grade zu verleihen. Kollegien und Bursen entstanden, in denen Lehrer und Studierende frei oder gegen Entgelt Aufnahme fanden.

Abb. 21. Gelehrte in Disputation über eine Pflanze. Holzschnitt aus: Joh. de Cuba, Hortus sanitatis. Mainz, Jac. Meydenbach, 1491.

In Deutschland hat es nun mehr als 150 Jahre gedauert, seit dem ersten Auftreten universitätsmäßiger Institutionen in den romanischen Ländern, bis im Jahre 1348 in Prag die erste deutsche Universität gegründet wurde. Welch langer Zeitraum, nur dem oberflächlichen Blick als eine Zeit des Verfalls erscheinend, in der That aber ausgefüllt von einem reichen, ganze neue Entwicklungen in sich bergenden Leben! Hat während so vieler Generationen des Mittelalters das gelehrte Leben in Deutschland ganz geschlummert? Keineswegs. Schon allein die große Zahl deutscher Jünglinge und Männer, die über den Rhein und die Alpen den neu entstandenen Stätten der Wissenschaft zuströmten, deutet auf das Gegenteil. In Bologna bildete die Landsmannschaft der Deutschen, die natio Theutonicorum, schon im 13. Jahrhundert für sich allein eine der Hauptgruppen der großen Genossenschaft (universitas) der Ultramontanen, d. h. der von jenseits der Alpen — im Sinne der Italiener — zugewanderten Scholaren. Sie erlangte im Jahre 1265 nach heftigem Streite das Recht, alle fünf Jahre den Rektor dieser Genossenschaft ernennen zu dürfen. Von 1289, aus welchem Jahre zuerst Urkunden und Aufzeichnungen der deutschen Nation vorliegen, bis 1350 wurden jährlich durchschnittlich

Schon in der zweiten Hälfte des 13. Jahrhunderts hatten sich diese Verhältnisse herausgebildet. Ihr klassisches Vorbild ist Paris, und ähnlich gestalteten sich auch z. B. die englischen Universitäten. Natürlich haben wir hier keine Ursache, auf die fremdländische Entwicklung der Universitäten näher einzugehen.

50 Deutsche immatrikuliert. Allerdings wurden dem Einflusse der deutschen Kultur entsprechend auch eine Reihe anderer Völker, Dänen, Norweger, Böhmen, Mähren, Littauer, Livländer u. s. w., zu den Deutschen gerechnet. Auch in Padua nahm die deutsche Nation — zuerst erwähnt 1228 — einen hervorragenden Platz ein. Nicht so an den französischen Universitäten. In Paris gehörten die deutschen Studierenden, so zahlreich sie waren, lange Zeit zu der englischen Nation. Erst als die neugegründeten englischen Universitäten den Zuzug von jenseits des Kanals erheblich herabminderten, gewannen die Deutschen die Oberhand, so daß seit 1331 nach und nach die Bezeichnung natio Alemannorum oder Alemanniae für die englische Nation üblich wurde. Im Jahre 1443 gingen die Deutschen sogar soweit, alle englischen Abzeichen aus ihren Hörsälen zu entfernen und darin allein das Bild ihres eigenen Schutzheiligen, Karls des Großen, und den deutschen Reichsadler gelten zu lassen. Neben Paris wurden auch Montpellier, wo das medizinische, und Orleans, wo namentlich das juristische Studium blühte, fleißig von Deutschen aufgesucht. In letzterer Stadt bestand gleichfalls eine besondere deutsche Nation. Im ganzen haben in Orleans, allerdings bis tief ins 18. Jahrhundert hinein, gegen 10000 Deutsche die Rechte studiert. So zahlreich nun auch unsere Landsleute den Studien an den fremden Universitäten nachgingen, so gering war verhältnismäßig die Zahl derjenigen Deutschen, die dem dort erworbenen Bildungsschatz mehr als nur receptiv gegenüberstanden. Zumal die Hauptwissenschaft jener Tage, die

Abb. 22. Unterricht in der Tierkunde. Holzschnitt aus: Joh. de Cuba, Hortus sanitatis. Mainz, Jac. Meydenbach, 1491.

Abb. 23. Mittelalterliches Leben. Links zwei Gelehrte am Pult, rechts Ritterschlag, im Hintergrund Jagd. Holzschnitt aus dem um 1470 entstandenen niederrheinischen Blockbuch „Einwirkung der Planeten". Berlin, Kupferstichkabinet. (Unicum.)

scholastische Theologie, die in Frankreich, England und Italien so viele glänzende Vertreter fand, ist in Deutschland — während unsers Zeitraums, d. h. also seit etwa 1200 bis zur Gründung der ersten deutschen Universitäten — fast nur von einem einzigen Manne positiv gefördert worden, von Albertus Magnus. Aus dem vornehmen Geschlecht der Herren (Grafen?) von Bollstädt stammend, 1193 zu Lauingen in Schwaben geboren, studierte er in Padua, trat um das Jahr 1222 in den unlängst gegründeten Dominikanerorden und war seitdem an einer Reihe von Klosterschulen dieses Ordens, in Köln, in Hildesheim u. s. w. als Lehrer thätig. Am höchsten stieg der Glanz seines Namens, als er einige Jahre lang auch den Lehrstuhl der Dominikaner in Paris inne hatte, wenn die Erzählung späterer Geschichtsschreiber auch übertrieben sein mag, daß kein Gebäude die Menge seiner Zuhörer gefaßt hätte und er deshalb gezwungen gewesen wäre, seine Vorträge unter freiem Himmel zu halten. Seit 1248 wieder in Köln, wo der Orden eine Art hoher Schule eingerichtet hatte, leuchtete er hier weiter durch Lehre, Predigt und frommes Beispiel, so daß er 1254 zum Ordensprovinzial für Deutschland erwählt wurde. Eine umfangreiche Thätigkeit nahm ihn nun in Anspruch, und doch fand er Zeit, auf seinen aufreibenden Visitations- und sonstigen Geschäftsreisen, die er stets zu Fuß zurücklegte, noch Abhandlungen zu verfassen, die er den Klöstern, wo er einkehrte, zum Dank für die gebotene Herberge zurückzulassen pflegte. Kaum war er 1259 seines mühevollen Amtes als Provinzial enthoben, als er — ein Jahr später — durch ausdrücklichen Befehl des Papstes trotz seines Widerstrebens zum Bischof von Regensburg ernannt wurde. Doch gelang es ihm bereits nach zwei Jahren, auch von dieser ehrenvollen Bürde befreit zu werden. Er lebte seitdem vorzugsweise in Köln, in seiner alten Klosterzelle, lehrend, predigend und schreibend. Sein hoher Ruhm ließ ihn aber auch jetzt nicht ungestört den Wissenschaften sich hingeben, und so finden wir ihn denn noch wiederholt auf Reisen, sei es, daß man ihn in Zwistigkeiten als Schiedsrichter begehrte, sei es daß er gebeten wurde, eine Kirche, einen Altar einzuweihen, oder was sonst für ehrenvolle Aufträge an ihn herantraten. Als ein besonders rührender Zug in seinem Wesen erscheint es, daß er noch im Greisenalter eine Reise nach Paris angetreten haben soll, eigens zu dem Zwecke, die angegriffene Rechtgläubigkeit seines bedeutendsten — und größeren — Schülers Thomas von Aquino vor einer Versammlung von Universitätslehrern zu verteidigen. Im Jahre 1280 starb er, 87 Jahre alt, nachdem ihn zwei Jahre zuvor der Verlust des Gedächtnisses und wohl überhaupt seiner geistigen Fähigkeiten genötigt hatte, seine Lehrthätigkeit aufzugeben. Dieser Umstand mag Veranlassung gewesen sein zu einer die argwöhnische Auffassung des Mittelalters von der Wissenschaft nicht übel charakterisierenden Legende. Als Knabe nämlich soll Albert eines zwar frommen, aber stumpfen Geistes gewesen sein und schon gänzlich an seiner Befähigung zu den Studien verzweifelt haben. Da sei ihm einst die h. Jungfrau erschienen und habe ihm verheißen, er werde sein Leben lang durch tiefstes Wissen die Kirche erleuchten, doch solle kurz vor seinem Ende alle Gelehrsamkeit von ihm genommen werden, auf daß ihn der Tod wieder ganz im kindlichen, gottergebenen Glauben fände, wovon auch das Sprichwort stammte: Albertus sei mit einem Male aus einem Esel ein Philosoph und wieder aus einem Philosophen ein Esel geworden.

Wie damals jede außergewöhnliche Gelehrsamkeit, zumal wenn sie den geheimnisvollen Kräften und rätselhaften Gebilden der Natur nachzuspüren suchte, den Verdacht nicht nur des gemeinen Volks, sondern auch vieler Gebildeteren rege machte, so erging es auch Albertus. Der alte Jöcher, der um die Mitte des 18. Jahrhunderts ein noch heute wertvolles allgemeines Gelehrten-Lexikon zusammenstellte, schreibt über ihn in seiner oft kuriosen Weise: „Er wird für einen großen Hexenmeister gehalten, auch beschuldiget, er habe zuweilen die Stelle einer Kindermutter vertreten, das Geschütz und den Lapidem Philosophorum (den Stein der Weisen) erfunden; wiewohl alle diese Dinge ohne Grund sind.“ Ein kunst- und erfindungsreicher Mann wird Albert aber gewesen sein und jedenfalls besaß er ein für jene Zeit ungeheures Wissen in den Naturwissen-

Abb. 24. Alte Darstellung eines Meisters der Magie und des Goldmachens. Holzschnitt aus dem Blockbuch: Der Antichrist ca. 1470.

schaften, um dessentwillen er noch heute von Kennern dieser Dinge gerühmt wird. Auch hinter den Zauberkunststücken, die von ihm wie drei Jahrhunderte später von Dr. Faust erzählt wurden, mag ein Fünkchen Wahrheit stecken. Am bekanntesten ist wohl die Geschichte vom Wintergarten, den Alberts Kunst hervorzauberte, als der deutsche Gegenkönig Wilhelm von Holland 1249 ihn in seinem Kloster besuchte. Bei festlichem Mahle blühten und dufteten die Bäume und sangen die Vögel, mitten im Winter, als ob es Frühling wäre. Da wurde die Tafel aufgehoben, und Schnee und eisige Kälte lagerten sich wieder über den Garten des Klosters. Auch eine künstliche Figur soll Albert hergestellt haben, ganz aus Metall, einem Menschen täuschend ähnlich, zumal sie auch artikulierte Töne und Wörter hervorzubringen vermochte. Wie ein Teufelsspuk erschien sie seinem Lieblingsschüler Thomas von Aquino, da er sie zum ersten Mal reden hörte, und im frommen Wahn zertrümmerte er die jahrelange Arbeit des Meisters. All diesen Nachrichten gegenüber muß betont werden, daß dieser selbst sich wiederholt gegen Magie und Astrologie ausgesprochen hat.

Für die mittelalterliche Wissenschaft beruhte Alberts Größe vor allem auf seiner umfassenden philosophischen und theologischen schriftstellerischen Thätigkeit. Albert war der vornehmste Begründer der zweiten Periode der Scholastik, die etwa im Anfang des 13. Jahrhunderts beginnt und einen Zeitraum von rund 100 Jahren umfaßt. Charakterisiert ist sie namentlich durch den in ihr sich vollziehenden vollkommenen Sieg der aristotelischen Philosophie, für deren Verbreitung Albert so unermüdlich thätig war, daß er von seinen Gegnern der „Affe" des Aristoteles genannt wurde. Aber der Ehrenname des Großen und eines doctor universalis spricht hinreichend von der Schätzung, in der er bei der bewundernden Mit- und Nachwelt stand und die auch neuere Kenner ihm nicht versagt haben, so viel Unverdautes sich auch in den 21 Foliobänden der Gesamtausgabe seiner Werke befinden mag.

Albertus Magnus repräsentiert einen sehr häufigen Typus des Mittelalters recht glücklich, den des gelehrten, litterarisch und pädagogisch und meist auch praktisch stark in Anspruch genommenen Bettelmönchs. Die Bettelmönche, Dominikaner, Franziskaner und Augustiner, spielten vom 13. bis zum Beginn des 16. Jahrhunderts wie anderswo, so auch in Deutschland eine sehr hervorragende Rolle in der Wissenschaft. Dem Unterricht wurde in diesen Orden eine sehr sorgsame Pflege zuteil, in vielen Städten finden wir ihre Studienanstalten. Eine große Reihe von Sammelwerken, Heiligenleben, handliche Kompendien der Weltgeschichte und gewaltige Encyklopädieen alles Wissens sind von Bettelmönchen verfaßt worden. Leider nur waren diese Kompilationen meist recht flüchtig, form- und kritiklos zusammengetragen. Die ungeheuer weit verbreitete Chronik des Martin von Troppau ist voll von fabelhaften Erzählungen, die eine spätere kritischer veranlagte Geschichtsschreibung nur mit Mühe zu beseitigen vermocht hat. Von großer Bedeutung aber wurden die Bettelmönche für die lokale Geschichtsschreibung. Dadurch, daß sie ihre Städte- und Territorialchroniken vorzugsweise in deutscher Sprache schrieben, erwarben sie sich außerdem das unbestreitbare Verdienst, das Interesse der Laien an der Geschichtsschreibung wesentlich gehoben zu haben, was naturgemäß auch der allgemeinen Volksbildung zu gute kommen mußte.

Gelehrte Männer waren also auch im 13. und 14. Jahrhundert, namentlich unter den Bettelmönchen, nicht ganz selten. Aber sie blieben mit wenigen Ausnahmen stumm. Albertus Magnus ist der einzige nennenswerte Vertreter der scholastischen Philosophie in Deutschland, die unterdessen in Italien, Frankreich und England zahlreiche, auch heute noch bewunderungswürdige Werke erzeugte. Auch der gepriesene Glossator des kanonischen Rechts, Johannes Teutonicus (starb wohl 1245) steht fast einsam. Billigerweise müssen wir hier aber auch eines fleißigen und gelehrten Laien gedenken, des (ritterlichen?) Schöffen Eike von Repgowe, der in der ersten Hälfte des 13. Jahrhunderts zunächst seinen engeren niedersächsischen Landsleuten eine Aufzeichnung ihrer Rechtsgewohnheiten lieferte, den bald so hochberühmt gewordenen „Sachsenspiegel." Darüber mag der Leser sich in der Monographie über den „Richter" des Näheren Belehrung holen.

Trotz der verhältnismäßig geringen wissenschaftlichen Produktivität Deutschlands in jenen Tagen hätte es wohl kaum an geeigneten Männern gefehlt, die Lehrstühle der in der Folge zur Ausbildung des modernen Gelehrtentypus in erster Linie berufenen Studienanstalten zu besetzen. Daß die Universitäten in Deutschland erst so spät Eingang fanden, hatte jedenfalls andere Gründe, die Langsamkeit des deutschen Geistes, das Zurückbleiben der wirtschaftlichen Kultur, das Fehlen schaffender landesherrlicher und städtischer Kräfte. Vom Kaisertum war nach seiner Niederlage gegenüber dem Papsttum auf lange Zeit hinaus erst recht nichts zu erwarten. Näher auf diese schwierigen Fragen einzugehen, würde uns hier zu weit führen. Doch muß bemerkt werden, daß es auch in Deutschland an gewissen Ansätzen zu einer Universitätsbildung nicht ganz gefehlt hat. Das beweisen die sog. Vaganten- oder Goliardenlieder des 12. und 13. Jahrhunderts und die artistischen Schulen in Erfurt, worauf wir hier ebenfalls nicht näher eingehen können.

Abgesehen allenfalls von Erfurt, und auch hier nur bedingungsweise, waren es durchweg förmliche Gründungsakte, denen wir unsere vaterländischen Universitäten verdanken. Doch nicht der Wille der centralen Mächte, des Kaisers, geschweige denn des Papstes, hat sie geschaffen, sondern geistliche und weltliche Territorialherren, Kurfürsten, Herzöge und Grafen, Bischöfe und Städte waren ihre Gründer. Wenn die erste deutsche Universität 1348 durch den Kaiser, nämlich den fürsorglichen und gelehrten Karl IV., der selbst einst in Paris dem Studium obgelegen, gegründet wurde, so geschah dies Kraft seiner

Abb. 25. Disputation zwischen Gelehrten. Holzschnitt aus: Joh. Bertachinus de Firmo, Repertorium. Lyon 1548.

Eigenschaft als Landesherr, nicht als Oberhaupt des deutschen Reiches. Es war die zu Prag, die nicht nur, weil Böhmen damals zum deutschen Reiche gehörte und durchaus unter deutschem Kultureinflusse stand, sondern auch deshalb, weil im Anfang die deutschen Scholaren an Zahl weitaus überwiegend waren, den Namen einer deutschen Universität in Anspruch nehmen darf. Aber schon gegen Ende des 14. Jahrhunderts sank die Zahl der Deutschen auf nahezu die Hälfte herab, es kam dann zu heftigen Streitigkeiten mit der tschechischen Nation, die entsprechend ihrer größeren Zahl auch größeren Einfluß beanspruchte. Dies führte 1409 zur Auswanderung der deutschen Magister und Scholaren und zur Gründung der Universität Leipzig. Prag wurde seitdem eine reine Landesuniversität, die infolge der Hussitenkriege immer mehr in Verfall geriet. Bereits 1365 hatte Erzherzog Rudolf IV. von Österreich in Wien die zweite deutsche Hochschule ins Leben gerufen, die namentlich, als die Kirchenspaltung, die auch sonst den deutschen Universitäten zu gute kam, einen starken Zuzug deutscher Professoren und Studenten aus Paris brachte, zu hoher Blüte gelangte. Es folgte im Westen als dritte Hochschule Heidelberg, 1386 vom Kurfürsten Ruprecht I. von der Pfalz gegründet. Zwei städtische Universitäten schlossen sich an, das schon genannte Erfurt (1379, bezw. 1392) und Köln (1388/89). Die 1402 gegründete Würzburger Universität wollte lange nicht recht gedeihen. Mit Leipzig (1409) und Rostock (1419) erreichte die erste Gründungsperiode deutscher Universitäten ihren Abschluß. Eine zweite Reihe von Universitätsgründungen in Deutschland beginnt mit der zweiten Hälfte des 15. Jahrhunderts. Ziemlich schnell nach einander wurden die Universitäten zu Greifswald (1456), Freiburg (1457), Trier (1457, bezw. 1473), Basel (1459, bezw. 1460), Ingolstadt (1472), Tübingen (1477), Mainz (1477) und nach etwas längerer Pause die zu Wittenberg (1502) und Frankfurt a./O. (1506) gegründet. Diese Hochschulen der zweiten Gründungsperiode stehen bereits unter dem Zeichen des römischen (d. h. weltlich-römischen) Rechtsstudiums und zum Teil schon des Humanismus. Doch steht deshalb einer zusammenfassenden Betrachtung der deutschen mittelalterlichen Universitäten und des auf ihnen entwickelten gelehrten Lebens nichts im Wege.

Die Verfassung der deutschen Hochschulen des Mittelalters war eine ziemlich gleichförmige. Obgleich Gründungen eines Landesherren oder einer Stadt, ermangelten sie doch nie eines feierlichen Stiftungsbriefes durch den Papst. So wurden sie zu einem studium privilegiatum.

Abb. 26. Ansicht von Prag. Kpfr. aus dem 17. Jahrhundert. München, Kupferstichkabinet.

Deshalb aber, weil der Wortlaut der päpstlichen Bullen geradezu von einer Errichtung der Universitäten durch den Papst sprach, weil darin die Ermächtigung zu lehren und akademische Grade zu erteilen, ausdrücklich vom Papste verliehen wurde, die Universitäten zu kirchlichen Anstalten zu machen, geht nicht an, man müßte denn so ziemlich sämtliche Institutionen des Mittelalters, Zünfte, Gilden u. s. w., weil sie des kirchlichen Schutzes nicht entbehren konnten und wollten, als kirchliche Einrichtungen bezeichnen. Unsere deutschen Universitäten sind weltliche Gründungen, ihr Träger war die geistige Macht der Wissenschaft, die allerdings bei dem ungeheuren Einfluß des kirchlichen Lebens im Mittelalter entweder von diesem ausging oder bei ihm Anlehnung suchen mußte. Aber keineswegs durchweg, denn nicht nur Jurisprudenz und Medizin, auch die übrigen Zweige der Wissenschaft — mit Ausnahme der Theologie — nahmen schon zur Zeit, als die erste deutsche Universität ins Leben trat, so weit eine selbständige Stellung ein, daß wir wenigstens in einigen ihrer Vertreter bereits die ersten unabhängigen, nicht mehr nur im Mönchstum und im Klerus steckenden deutschen Gelehrten begrüßen können. Seit 1456 wurde es auch üblich, den Universitäten kaiserliche Stiftungsbriefe zu erteilen. Darin wird namentlich die Errichtung der juristischen Fakultät als ein alleiniges Vorrecht des Kaisers gefordert. In reformatorischer Zeit wuchs die Bedeutung des kaiserlichen Privilegiums immer mehr, bis es schließlich allein Kraft behielt.

Die im Mittelalter vorzugsweise übliche Benennung der Universität war studium generale, seltener kommt academia, in humanistischer Zeit dagegen sehr häufig gymnasium vor. Auf deutsch sagte man frieschule oder hohe schule oder auch einfach schule. Der Ausdruck universitas, zu ergänzen nicht etwa litterarum, sondern studii oder auch magistrorum et scolarium, deutsch die „Gemein der Meister und Studenten", bezeichnete ursprünglich nicht die Lehranstalt, sondern die Genossenschaft sämtlicher Universitätsmitglieder. Dazu gehörten Alle, die sich zum Zweck des Lehrens und Lernens an einer Hochschule (studium) zusammenfanden. Später gingen die beiden Begriffe, Lehranstalt und Korporation, ganz in einander über.

Die Universitätsangehörigen bildeten eine besondere privilegierte Korporation, mit gewissen Vorrechten in Bezug auf Schutz, Gerichtsstand, Strafen, Zölle, Steuern u. s. w. Die Aufnahme in diese Korporation fand durch Einschreibung in die Matrikel der Universität statt, wobei Lehrer und Scholaren, Graduierte und Nichtgraduierte

Abb. 27. Allegorische Darstellung der Musik und Astronomie. Holzschnitt von einem Elsässer Meister ca. 1500. Gotha, Kupferstichkabinet.

ohne Unterschied neben- und durcheinander eingetragen wurden. Die Besorgung der gemeinsamen Korporationsangelegenheiten lag aber in der Regel in Deutschland allein in der Hand der Doktoren und Magister, die nichtgraduierten Scholaren wurden wohl gelegentlich zu den Versammlungen der Universität herangezogen, waren aber mit wenigen Ausnahmen — ganz im Gegensatz zu den italienischen Universitäten — nicht stimmberechtigt. Dagegen blieben sie meist im Besitz des passiven Wahlrechts. Man wählte jedoch vorzugsweise nur Fürsten oder andere vornehme Herren unter den Studierenden zu Rektoren, aus Höflichkeit oder weil man von ihnen Gunstbezeugungen erwartete. Die Geschäfte zu erledigen, wurde ihnen wohl erspart, später, schon im 16. und 17. Jahrhundert, erhielten sie dazu offiziell einen Professor als Beistand, den Pro- oder Vicerektor.

Der Rektor stand an der Spitze der gesamten Universität. Er war stets ein Mitglied der Korporation, vielfach geistlichen Standes, aber kein Ordensmann; doch verlangte man von ihm eine geistliche Lebenshaltung, an einigen Universitäten war es geradezu verboten, einen Verheirateten zu wählen. Aber schon seit der Mitte des 15. Jahrhunderts fing man an, daran keinen Anstoß zu nehmen. Gewöhnlich wurde der Rektor aus den einzelnen Fakultäten abwechselnd gewählt und zwar fast überall nur auf ein halbes Jahr. Seine Stellung war eine außerordentlich vornehme. In Köln kam er im Range gleich nach dem Erzbischof, in Frankfurt ließ Kurfürst Joachim ihn zu seiner Rechten gehen. Sein Titel war, wie noch heute, Magnificus, in deutscher Sprache wohl auch „Durchlaucht." Bei öffentlichen Akten erschien er, begleitet von den Pedellen, in feierlicher Amtstracht. In Basel bestand sie in rotem Mantel und Barett. Von dort sind wir auch über den Wechsel des Rektorats, der meist mit großer Prachtentfaltung stattfand, gut unterrichtet. Doktoren und Scholaren holten den alten und den neuen Rektor aus ihren Wohnungen ab und begaben sich mit ihnen in festlichem Zuge nach der Peterskirche. Voran ging die Musik und ein Diener, der auf einem Stabe das scharlachene

Barett des Rektors trug. In der Kirche hielt ein Magister eine Lobrede auf den Neuerwählten. Darauf setzte der alte Rektor dem neuen das Barett auf das Haupt, überreichte ihm den silbernen Stab, das Zeichen seiner Macht, und die Statuten der Universität, „damit er wisse, welche Last er übernähme." Ein feierlicher Eid auf die Evangelien machte den Schluß. Wohl überall hatte der Rektor auf seine Kosten auch ein Festmahl auszurichten. Wahrhaft fürstlich war das Leichengepränge, wenn ein Rektor während seiner Amtsführung starb. Noch aus dem 18. Jahrhundert bezeugt dies ein Fall in Leipzig, wo z. B. auch die Stadtsoldaten vor Magnificus das Gewehr präsentieren mußten. Als hier der Rektor Professor Titius gestorben, läuteten die Glocken der Paulinerkirche (d. i. der Universitätskirche) und aller Kirchen der der Universität einverleibten Pfarrdörfer täglich von 11—12 Uhr vier Wochen lang. Ebenso lange erschienen die Professoren bei Promotionen und sonst bei öffentlichen Anlässen in Trauermänteln. Die Leiche mit den Insignien der Rektorwürde wurde auf einem Paradebette aufgebahrt. Studenten hielten die Leichenwache, Militär ordnete die zuströmende Menge. Abgesandte von Fürsten und Korporationen erschienen; bei dem Trauerzuge bildeten die Bewohner der Universitätsdörfer Spalier, in schwarzen Kleidern und mit Flor auf den Hüten. Der Rektor war eben das sichtbare Haupt einer großen geistigen Macht, der Wissenschaft.

Auf die Thätigkeit des Rektors und was damit zusammenhing, auf Immatrikulationen und Universitätsgerichtsbarkeit, sowie auf andere Universitätseinrichtungen, die Nationen, den Senat u. s. w. kommen wir in einem anderen Bande dieser Monographieen zurück. Dort soll auch über den eigentlichen Unterrichtsbetrieb, über Vorlesungen und Disputationen gehandelt werden. An der Erteilung der Grade indeß, wie sie in den Fakultäten gehandhabt wurde, dürfen wir schon hier nicht vorübergehen, weil diese Einrichtung für das gelehrte Leben von höchster Bedeutung war und bekanntlich heute noch ist.

Die mittelalterlichen Fakultäten waren von unsern heutigen in vielen Dingen verschieden. Sehr

Abb. 28. Allegorische Darstellung der Arithmetik und Geometrie. Holzschnitt von einem Elsässer Meister ca. 1500. Gotha, Kupferstichkabinet.

Abb. 29. Allegorische Darstellung der Grammatik, Rhetorik und Logik durch Säen, Mahlen und Backen. Holzschnitt von einem Elsässer Meister ca. 1500. Gotha, Kupferstichkabinet. Schreiber 1874.

richtig hat man sie als gelehrte Zünfte bezeichnet, die in einem gewissen Rangstufenverhältnis zu einander standen. Man unterschied die 3 oberen Fakultäten, die theologische, die vornehmste von allen, die juristische und medizinische Fakultät, von der allerdings nur selten so genannten unteren, der artistischen oder, wie sie wohl schon im 14. Jahrhundert hieß, der philosophischen Fakultät. Die Fakultäten umfaßten nicht nur die Lehrenden, sondern auch die Studierenden, zwischen denen früher kein so fester Unterschied bestand wie heutzutage. Professoren in unserm Sinne hat es im Mittelalter überhaupt nicht gegeben. Wer lehrte, wurde oft wieder ein Lernender, oder er war beides zugleich, wie wir gleich sehen werden. In Deutschland hatten aber jederzeit nur die Magister — die in den oberen Fakultäten Doktoren hießen — in der Fakultät Sitz und Stimme, die Baccalare und Lizentiaten nur bedingungsweise. Häufig war noch eine besondere Auswahl für den die Fakultät eigentlich regierenden Rat getroffen (das consilium oder collegium facultatis), in den nur die älteren Magister und manchmal auch diese nur in beschränkter Zahl aufgenommen wurden. Einen gewissen Vorrang hatten immer die besoldeten Doktoren, die unsern heutigen ordentlichen Professoren bereits ähnlich sehen. An der Spitze einer jeden Fakultät stand, wie noch jetzt, ein Decan, der meist auf ein halbes, hier und da auch auf ein ganzes Jahr aus der Mitte der Magister gewählt wurde.

Die Fakultäten hatten ihre eigene Matrikel, in die allerdings meistens nur die Graduierten eingetragen wurden, ihr eigenes Siegel, ihre besondere Kasse, ihren besonderen Schutzheiligen. Als solcher galt den Theologen der heilige Johannes der Evangelist, den Juristen St. Ivo (von Helori in der Bretagne, † 1303), während die Mediziner die beiden Heiligen St. Cosmas und St. Damianus, die Artisten (oder Philosophen) die hl. Katharina verehrten. Jede Fakultät hatte außerdem ihre besonderen Satzungen, verwaltete ihr Vermögen, machte Umlagen, baute Häuser, nahm die Prüfungen vor, erteilte die Grade u. s. w. Wichtigere Vorkommnisse wurden in den Acta facultatis oder Dekanatsbüchern verzeichnet.

Mit das wichtigste Recht und die vornehmste Aufgabe der Fakultäten ist es heutzutage, akademische Grade und die Erlaubnis zum Halten von Vorlesungen, die sog. Lizenz, zu verleihen. Im Mittelalter stand ihnen dies Recht nur sehr bedingungsweise zu. Mit der Überwachung der Prüfungen und Promotionen, sowie mit der Verleihung der Lizenz war vielmehr ein eigener Beamter betraut, der Kanzler der Universität. Fast stets bekleidete ein höherer Geistlicher, gewöhnlich der Bischof der Diöcese, in der die Universitätsstadt lag, oder auch der Propst eines angesehenen Collegiatstiftes dieses ehrenvolle Amt, das meist vom Papst, auch wohl vom Kaiser oder vom Landesherrn verliehen wurde. Indes überließen die Kanzler die Sorge, auf Recht und Ordnung bei den Universitäten zu sehen, fast ausschließlich den Landesherren, bezw. wie in Köln und Erfurt den städtischen Behörden. Sie selbst entzogen sich sogar meist ihren eigensten Verpflichtungen, indem sie etwa gegen Lieferung eines Fäßchens guten Weins oder gegen Zahlung eines Pachtgeldes einen Professor mit der Verleihung der Lizenz u. s. w. betrauten.

Es wurden oben die Fakultäten des Mittelalters als gelehrte Zünfte bezeichnet. Wie das Handwerk den Lehrling, Gesellen, schließlich den Meister unterschied, genau so war es mit den Graden der Fakultät beschaffen. Wie das Handwerk war jede Fakultät völlig selbständig, doch findet darin ein Unterschied statt, daß die oberen Fakultäten ihre Lehrlinge aus den Meistern der vorbereitenden, also der artistischen Fakultät zu nehmen pflegten. Ein Zwang jedoch bestand hierfür nicht, und namentlich bei den Juristen bildete die Ausnahme von dieser Gepflogenheit sogar die Regel. Im allgemeinen aber wurde, wer erst zu studieren anfing, zunächst ein Lehrling (Scholar) in der artistischen Fakultät. Seiner Aufnahme wurden keine besonderen Schwierigkeiten in den Weg gelegt, die Zahl der Lehrlinge war eine unbeschränkte. Der Lehrling pflegte sich zumeist an einen Meister (Magister) anzuschließen, nicht selten lebte er sogar in dessen Hause und teilte seinen meist junggesellenartigen Haushalt. Eine etwa zweijährige, meist aber länger — in Paris bis auf fünf Jahre — ausgedehnte Lehrzeit berechtigte ihn, sich zur Ablegung seiner ersten Prüfung zu melden, die vor einer besonderen, aus mehreren Meistern (Magistern) zusammengesetzten Kommission stattfand. Außer einem gewissen Alter — gewöhnlich 17 Jahre — wurde in der Regel, sehr charakteristisch, wie beim Handwerk eheliche Geburt zur Bedingung gemacht.

Abb. 30. Allegorische Darstellung der Rhetorik, daneben M. Tullius Cicero. Holzschn. ca. 1500. Gotha, Kupferstichk.

Nach bestandener Prüfung wurde der Lehrling zum Gesellen (baccalarius artium) ernannt. Der Baccalar — falsch, aber viel gebraucht ist die Form baccalaureus — verpflichtete sich in seinem Geselleneide, eine bestimmte Zeit hindurch, meist zwei Jahre, seine Studien an derselben Universität fortzusetzen. Doch hatte er von nun an nicht mehr blos zu hören, sondern auch selbst sein Handwerk auszuüben, also Vorlesungen — über die Elemente seiner Kunst — zu halten, namentlich aber an den gemeinsamen Übungen der Zunft, an den Disputationen, sich zu beteiligen. Wenn er dies einige Jahre vorschriftsmäßig gethan, konnte er sich aufs neue bei der versammelten Meisterschaft (Fakultät) zur Prüfung melden. Nach bestandenem Examen wurde dem Kandidaten durch die vorgesetzte Aufsichtsbehörde (den Kanzler) die Lizenz zuteil, das Meisterrecht, also die Berechtigung zur Ausübung seines Handwerks als Meister. Den Titel eines Meisters (magister artium liberalium) erlangte er aber erst auf sein Ansuchen in öffentlicher Fakultätsversammlung. Ein vom Kandidaten selbst gewählter Magister, der Promotor, verlieh ihm unter gewissen Ceremonieen die Insignien der Meisterwürde. Alsogleich hielt der neue Meister (magister novellus) im Schmuck des Magisterbaretts und vom Katheder der Magister aus seine erste öffentliche Vorlesung (inceptio) als Meister. Wiederum war er nun durch seinen Meistereid verpflichtet, wenigstens zwei Jahre lang an derselben Universität den Pflichten eines Magisters nachzukommen d. h. Vorlesungen und Disputationen zu halten. Diese Verpflichtung finden wir an allen Universitäten, sie hatte ihren Grund wesentlich in der Absicht, die Meisterschaft nicht aussterben zu lassen. Denn der neue Magister konnte ja nun selbst wieder Lehrlinge annehmen, sie zu Gesellen und Meistern heranbilden und nach Erfüllung gewisser Bedingungen auch zu solchen machen.

Abb. 31. St. Katharina, die Schutzheilige der Artisten. Kpfr. von dem Monogrammisten F. V. B. 15. Jahrhundert. Dresden, Kupferstichkabinet. B. II. 189.

Nun gab es aber außer der untersten, der artistischen Fakultät, noch drei andere gelehrte Zünfte, die medizinische, juristische und theologische Fakultät. Wir wissen bereits, daß es allgemein üblich, wenn auch nicht förmlich geboten war, nur Meister der untersten Zunft in diesen höheren Zünften als Lehrlinge anzunehmen. Wer nun auch in einer der oberen Zünfte Meister werden wollte, mußte wieder von vorn beginnen und nach einander in langjährigem Studium die Stufen eines Lehrlings (scolaris) und Gesellen (baccalarius) zurücklegen.

Nach bestandener Meisterschaftsprüfung erhielt der Baccalar durch den Kanzler die Lizenz an einer der oberen Fakultäten. Er war nun Licentiatus medicinae oder juris oder theologiae. Die außerordentlich hohen Kosten, die die Erwerbung eines Meistergrades in den oberen Fakultäten mit sich brachte, hatten zur Folge, daß sich die meisten, wenn sie überhaupt so weit kamen, mit der

Abb. 32. Vorlesung eines Universitätslehrers. Holzschnitt aus den Kommentaren des Paulus de Castro. Venedig 1525.

Würde eines Lizentiaten begnügten. Wer aber die Mittel hatte, konnte nun auf sein Ansuchen auch den Meistergrad erwerben, den hochangesehenen mit dem Rang des heutigen garnicht zu vergleichenden Titel eines magister oder wie es gewöhnlich hieß, doctor medicinae, juris oder theologiae. Denn nur den Meistern der oberen Fakultäten pflegte dieser vornehmere Titel beigelegt zu werden, der Meister der philosophischen Fakultät, der Philologe, wie wir heute sagen würden, mußte sich mit dem bescheideneren eines magister begnügen. Wer den Doctorgrad in einer der oberen Fakultäten erworben hatte, schied nun zugleich endgültig aus der unteren Zunft aus, der er, solange er in der oberen nur Lehrling oder Geselle gewesen war, immer noch angehört hatte. Erst der Doctor der höheren Fakultäten hörte endlich auch zu lernen auf. Er war auch kein ganz jugendlicher Mann mehr, denn die Statuten forderten eine lange Studienzeit, in der theologischen Fakultät z. B. alles in allem etwa 8 bis 9 Jahre. Auch machten sie für die Zulassung zur Lizenz meist ein gewisses Alter zur Bedingung, so z. B. die Wiener für den Licentiaten der Medizin 26 und, wenn er noch zu jugendlich aussähe — zu weibisch, heißt es in den Statuten —, sogar 28 Jahre; und zum Doctorat der Theologie wurde wohl selten jemand vor vollendetem 30. Lebensjahre zugelassen. Luther freilich war noch nicht ganz 29 Jahre alt.

Natürlich stand auch nichts im Wege — und viele Gelehrte thaten so — daß sich selbst ein Meister der oberen Fakultät noch einmal zu den Füßen eines Meisters der anderen gelehrten Zünfte niederließ, um auch noch in dieser zur Meisterwürde promoviert zu werden. Selbst theologische Doktoren, die vornehmsten von allen, haben wohl noch später das Studium der Medizin ergriffen.

Die Promotionen bildeten den Höhepunkt im äußeren Dasein des mittelalterlichen Gelehrten. Wenn Einer zum Magister artium oder gar zum Doctor in einer der oberen Fakultäten promoviert wurde, so war dies ein Fest nicht nur für den Einzelnen, sondern für die gesamte Universität; das ganze Gemeingefühl des gelehrten Standes kam darin zum Ausdruck. Daher war auch insbesondere die Doktorpromotion mit großem Gepränge umgeben, sie dauerte stets mehrere Tage, an denen der Doktorand über verschiedene Sätze zu disputieren hatte. Am Tage der eigentlichen Promotion pflegten sich die Doktoren der Fakultät frühe zu dem Hause des Kandidaten zu begeben, um ihn dann in festlichem Zuge nach der Stätte hinzugeleiten, wo der feierliche Akt vor sich gehen sollte. Es war dies fast stets eine Kirche. An

Abb. 33. Lehrer auf dem Katheder und Schüler. Holzschnitt aus der Offizin des H. Quentel. Köln 1495.

der Spitze des Zuges gingen oder ritten die Pedelle gravitätisch einher, mit ihren Zeptern; auch Jünglinge, die Kleinodien trugen, zogen öfters voran; der Promovend folgte, von zwei Doktoren der Fakultät, darunter seinem Promotor, in die Mitte genommen. Sämtliche Teilnehmer des Zuges hatten sich genau ihrem Range entsprechend zu ordnen. Die Theologen hatten wohl meist den Vortritt, danach kamen die Juristen, dann die Mediziner, endlich die artistischen Magister, danach die Baccalarien und Scholaren. Die adeligen Scholaren pflegten aber den artistischen Magistern voranzugehen, selbst wenn diese wirklich lesende, also in unserm Sinne Professoren waren. Näherte sich der Zug der Kirche, so läuteten die Glocken. Die Hauptceremonie bestand in der Ablegung des Doktoreides und der Verleihung der Doktorinsignien an den Kandidaten. Derselbe mußte unter anderm schwören, seinen Grad an keiner andern Hochschule wiederholen zu wollen.

Die Insignien waren an den einzelnen Universitäten verschieden. Wohl stets wurde dem Promovenden der Doktorhut aufgesetzt, ein Ring angesteckt, ein Buch, geschlossen oder geöffnet, übergeben. Durch Verleihung des Ringes sollte der Doktor dem Adel gleichgestellt werden. Kuß und Segen seitens des Promotors fehlten wohl nie, dazu kam manchmal die Umhängung des Doktormantels. Sobald der Hut übergeben war, pflegten Fanfaren zu schmettern, dem neuen Doktor ihren Gruß zu bringen. Das Ganze muß doch viel Eindruck gemacht haben. Fast wehmütig erinnert sich Luther seiner Studienzeit in Erfurt, wo die Universität später so gänzlich in Verfall geraten war. „Wie war es eine so große Majestät, wenn man Magistros promovierte, und ihnen Fackeln fürtrug, und sie verehrte; ich halte, daß keine zeitliche, weltliche Freude dergleichen gewesen sei. Also hielt man auch ein sehr groß Gepräng und Wesen, wenn man Doktores machte. Da reit man in der Stadt umbher, dazu man sich sonderlich kleidete und schmückte; welches Alles dahin ist und gefallen. Aber ich wollte, daß man's noch hielte."

Die Kosten der Promotionen waren überall sehr hoch, wenigstens die zu Doktoren in den oberen Fakultäten. Sie bestanden einerseits in den Gebühren für die Examinatoren und den vom Kandidaten zum Promotor erwählten Doktor — damals also noch nicht, wie jetzt durchweg, der Dekan der Fakultät —, namentlich aber in den zahlreichen Geschenken und Ehrengaben, zu denen der glücklich-unglückliche Doktorandus verpflichtet war. Schon bei den Prüfungen hatte er den Examinatoren und dem Kanzler Wein und Konfekt vorzusetzen, bei der Promotion selbst an die anwesenden Magister und Doktoren allerlei Geschenke zu verteilen, ein Paar Handschuhe oder ein Barett, einige Ellen Tuch, auch wohl ein Geldstück. Noch kostspieliger wohl war der Doktorschmaus, dem gelegentlich auch ein Ball folgte. In Leipzig hatte zu Anfang des 16. Jahrhunderts ein Doktor der Rechte bei seiner Promotion nicht weniger als 250 Dukaten aufzuwenden. So viel verschlangen die Gelage und Umzüge, die Musik und die Geschenke. Vergebens suchten wiederholt die Fakultäten die hohen Kosten zu beschränken. Für den theologischen Doktor kam bei Bettelmönchen und anderen Klostergeistlichen ihr Orden auf, für Luther trug der Kurfürst von Sachsen die Kosten der Promotion. Er hatte ihn predigen gehört und war von der Kraft seines Geistes und der Gewalt seiner Rede entzückt gewesen.

Geringere Ausgaben verursachte der Festschmaus nach Erteilung der Lizenz in der Artistenfakultät, das sog. prandium Aristotelis. Es konnte dies immer von mehreren Kandidaten gemeinsam ausgerichtet werden, allenfalls leistete die Fakultät noch einen Zuschuß.

Schlimmer als der übertriebene Aufwand waren andere Mißbräuche, die sich an das Promotions- und überhaupt Prüfungswesen hängten. Wenn auch manche von den Klagen darüber übertrieben sein mögen, so scheint es doch festzustehen, daß viele Magister und Doktoren des Mittelalters nicht den feinen Sinn für Unparteilichkeit und Unbestechlichkeit besaßen, wie wir ihn heute jedem deutschen Professor ohne weiteres zuzutrauen gewöhnt sind. Für 3 bis 4 Gulden, hieß es, sind alle Examinatoren zu haben. Und es lief das Sprichwort um: Omnis baccalarius promotus periurus d. h. jeder Baccalar, der geschworen, keine unlauteren Mittel bei Erlangung seines Grades benützt zu haben, habe einen Meineid geleistet. In unwürdiger Weise rissen sich die Magister förmlich um einen Kandidaten, nur um die Promotionsgelder zu erhaschen, selbst an schamlosen Erpressungen seitens der Examinatoren soll es nicht gefehlt haben. Aus allen diesen Gründen kam es nur selten vor, daß jemand durchfiel, wenn er nur ordentlich zahlen wollte und konnte.

Die artistischen Magister waren vorwiegend auf das Kollegienhonorar (pastus, minerval) angewiesen. Dasselbe war verhältnißmäßig nicht gering, es betrug für die Hauptvorlesungen zu je etwa 100 bis 120 Stunden gewöhnlich einen Gulden. Es ist berechnet worden, daß der Wechsel eines Studenten zu mehr als 10 % auf das Honorar aufging. Armen Scholaren durfte das Honorar ganz oder teilweise erlassen werden. Damit wurde viel Mißbrauch getrieben. Man bemerkte Studenten, die im Kneipen und Kleiderluxus hinter niemand zurückstanden, den armen Magister aber um seinen Lohn betrogen. Es wurde dann wohl ein Zeugnis der Heimatsbehörde, ein ordentliches testimonium paupertatis gefordert.

Abb. 34. Ein Professor der Medizin beim Unterricht. Holzschnitt aus: H. Brunschwig, Buch der wahren Kunst zu destillieren. Straßburg, Grüninger, 1512.

Abb. 35. Disputation zwischen zwei Gelehrten in Begleitung ihrer Schüler. Holzschnitt aus: H. Brunschwig, Buch der wahren Kunst zu destillieren. Straßburg, Grüninger, 1512.

Umgekehrt wurde sehr über die Magister geklagt, die durch Herabsetzung der Lesegebühren ein stärker besetztes Auditorium zu gewinnen hofften. Das Ehr- und Standesgefühl des Gelehrten war damals noch nicht so stark entwickelt, daß solche und ähnliche Fälle unlautern Wettbewerbs nicht ziemlich häufig gewesen wären.

In den oberen Fakultäten, namentlich in der theologischen, in der es ja überhaupt stets nur sehr wenige Zuhörer gab, wurden übrigens die Kollegien meist umsonst gelesen. Dem lag zum Teil wohl noch die den Armen gegenüber stets befolgte alte kirchliche Anschauung zu Grunde, wonach die Forderung von Geld für die Gewährung eines geistlichen Guts — und das war doch wohl die Lehre vom Worte Gottes — als ein Unrecht, als Simonie betrachtet wurde. Entscheidend aber war natürlich der Umstand, daß die Doktoren der oberen Fakultäten — anders als in der Mehrzahl die armen Magister der artes — fast durchweg mit einem festen Einkommen rechnen konnten. Sie bezogen dies hauptsächlich in der Gestalt geistlicher Pfründen, Kanonikats- oder sonstiger Stiftsstellen. Da das Mittelalter, allenfalls mit Ausnahme der Städte, einen geregelten Staatshaushalt nicht kannte, die Universitäten zudem als halbgeistliche Anstalten galten und die Kirche überhaupt als verpflichtet angesehen wurde, für den Unterricht zu sorgen, so war dies nach der Anschauung der Zeit der allein gangbare Weg, den Universitätslehrern einen festen Gehalt zu gewähren. Päpste und Landesherren haben daher wiederholt solche Stiftsstellen den Universitäten einverleibt. (Abb. 47.)

Die Pfründen waren oft sehr ansehnlich, namentlich für die Theologen. In dem reichen Köln z. B. gab es für sie Pfründen bis zu 200, ja 300 Gulden, nach heutigem Gelde (ein Gulden gleich 7 bis 10 Reichsmark) 1400 bis 3000 Mark, nach heutigem Geldwert gut 10000 bis 20000 Mark, wenn nicht mehr. Auch die Juristen waren nicht schlecht gestellt, bescheidener meist die Mediziner, die ja in der ärztlichen Praxis einen einträglichen Erwerb finden konnten, am bescheidensten mit geringen Ausnahmen die Artisten, die allerdings mit den Kollegienhonoraren rechnen durften. Gewiß war ein artistischer Magister — der also heute etwa einem Professor in der philosophischen Fakultät entsprechen würde — schon sehr zufrieden, wenn er eine Pfründe mit 30 Gulden jährlichen Einkommens, heute etwa gleich 2000 Mark, erwischen konnte. Es gab aber auch solche mit einem Einkommen von nur 18, 16, ja 12 Gulden. Besser, in Leipzig z. B. auf 62 Gulden, standen sich diejenigen Magister, die eine Stelle in einem Kollegium hatten (siehe unten S. 52). Dazu kam, daß sie außer freier Wohnung auch etwa 26 Gulden Gewinn aus dem steuerfreien Ausschank von Bier bezogen. An manchen Universitäten, namentlich den städtischen, gab es übrigens auch schon sehr frühe einige Lehrstellen, die von den weltlichen Behörden, z. B. dem Rat in Köln und Basel, fest besoldet wurden. Dies kam mit dem Anfang des 16. Jahrhunderts immer mehr in Gebrauch, es entwickelte sich so ein Stamm von der Landesobrigkeit abhängiger, mit festem Gehalt angestellter Professoren, das Prinzip der Zukunft.

Das Wesen des mittelalterlichen Gelehrten bliebe gänzlich unverständlich, wenn wir hier nicht wenigstens einen Begriff von dem Inhalt der an den Universitäten übermittelten gelehrten Bildung zu geben versuchten. Dieser war von dem, was heute an den Universitäten gelehrt und gelernt wird, grundverschieden. Von größter Wichtigkeit ist vor allem eins.

Wenn auch keineswegs ohne Nutzen für das praktische Leben, so war der ganze Unterrichtsbetrieb an den mittelalterlichen Universitäten doch wesentlich auf ein ideales Ziel gerichtet, die Überlieferung einer Summe positiver Kenntnisse und die durch die Pflege der Disputation gewonnene Befähigung, sich dieser Kenntnisse in Rede und Gegenrede passend und schlagfertig zu bedienen. Auf eine Erweiterung der wissenschaftlichen Erkenntnis hatte es die mittelalterliche Universität nicht abgesehen. Was wir heute von dem Doktoranden verlangen, daß er ein und sei es nur das winzigste Steinchen zum Ausbau seiner Wissenschaft beitrage, der Gedanke lag dem Mittelalter vollständig fern. Daher auch die befremdende Thatsache, daß der Stand des Wissens Jahrhunderte hindurch nahezu der gleiche blieb. Daher auch das der minutiösen Spezialisierung unserer Tage gerade entgegengesetzte häufige Vorkommen der Polyhistorie. Das beschränkte Auge des mittelalterlichen Gelehrten sah wohl ein ganzes großes Wissensgebiet in wenigen gedrängten Kompilationen beschlossen. Da war es denn nicht zu verwundern, wenn ein gewandter Lateiner, ein bewunderter Logiker nach einigen Jahren praktischer Thätigkeit wieder zur Universität zurückkehrte, um hier nun in irgend einer der oberen Fakultäten seine unterbrochenen Studien fortzusetzen und einen neuen akademischen Grad sich zu erwerben. Ja es gab wohl hochgelahrte Doctores, die wie Faust sich rühmen konnten, das Wissen aller Fakultäten in sich aufgenommen zu haben.

Zu einer Zeit freilich, im 11. und 12. Jahrhundert, war eine frische, fröhliche Bewegung durch die bis dahin vorzugsweise receptiv sich ver-

Abb. 36. Gelehrtengruppe bei einer Disputation. (Christus im Tempel.) Holzschnitt von Hans Wechtlin († 1530). München, Kupferstichkab. P. III, 20.

nalistische Streit über die Frage, ob die allgemeinen Begriffe (universalia) wirkliche Dinge (realia) oder ob sie nur Abstraktionen, Namen oder Worte (nomina seu flatus vocis) seien. Jene Anschauung wurde von den Realisten — heute würde man sagen Idealisten — diese von den Nominalisten — die wir umgekehrt als Realisten bezeichnen würden — vertreten. Der Streit zwischen diesen beiden Richtungen dauerte das ganze Mittelalter über fort, wenn er auch oft von aktuelleren Gegensätzen in den Hintergrund gedrängt wurde. Eine neue Epoche, um die Wende des 12./13. Jahrhunderts, ein gesteigertes wissenschaftliches Leben führte das Bekanntwerden der großen Mehrzahl der aristotelischen Schriften und seiner morgenländischen Kommentatoren herauf. Sie zu erklären und mit der christlichen Theologie in Einklang zu bringen, setzten eine große Zahl der berühmtesten Männer, da-

haltende mittelalterliche Gelehrsamkeit gegangen. An Stelle des getrübten Fortlebens der antiken und kirchenväterlichen Weisheit war eine selbständige, scharfsinnige theologisch-philosophische Spekulation getreten, die seit vielen Jahrhunderten zum erstenmale wieder einen neuen Gedankeninhalt in die litterarische Welt brachte. Die Begeisterung für die neue Wissenschaft der Scholastik ging denn auch in hohen Wogen, und namentlich Frankreich war der Boden, auf dem sie ihre schönsten Blüten entwickelte. Hier lehrten ein Anselm von Canterbury, ein Roscellin, ein Petrus Lombardus, ein Abälard. Aus dieser ersten Periode der Scholastik stammt der berühmte nomi-

runter auch, wie wir bereits wissen, unser Albertus Magnus, ihre rastlosen Federn in Bewegung. Der Dominikaner Thomas von Aquino schuf sein noch heute in der katholischen Kirche autoritative Geltung besitzendes Lehrsystem, worin der Kernpunkt alles mittelalterlichen Philosophierens, der Satz, daß keine Feindschaft sei zwischen dem Glauben und der Vernunft, die glänzendste Darlegung erfuhr. Aber in dem Franziskaner Duns Scotus, der der Vernunft die Fähigkeit absprach, die religiösen Wahrheiten zu beweisen, erstand ihm ein ebenbürtiger Gegner. Es begann der Kampf zwischen Thomisten und Scotisten, der mit Wilhelm von Occam's scharfer Hervorhebung des Widerspruchs zwischen der Vernunft und den Sätzen des Dogmas, an denen Occam selbst übrigens nicht im geringsten zweifelte, bereits zum Verfall der Scholastik führte.

Zu der Zeit, als die deutschen Universitäten begründet wurden, war er entschieden. Allerdings, die alten Gegensätze in der Scholastik bestanden fort, wenn sie auch im Einzelnen modifiziert und mit anderen Namen belegt wurden. Hatten sich früher Realisten und Nominalisten, dann Thomisten und Scotisten gegenübergestanden, so kämpfte man jetzt mit den Schlagworten der via antiqua und der via moderna (des alten und des neuen Wegs) gegen einander. Und diese Kämpfe waren die denkbar heftigsten. Die Parteiwut machte die Gelehrten blind. Vorlesungen der gegnerischen Richtung wurden durch Fakultäts- und Universitätsbeschlüsse untersagt, Bücher der Gegenpartei aus den — freilich noch sehr kärglichen — Bibliotheken ausgeschaltet, und ein wahrhaft wütender Kampf pflegte um die Neubesetzung erledigter Stellen zu toben. An einigen Universitäten wie in Basel, Tübingen, Ingolstadt u. a., kam es auf Grund dieses Streites zu einer Scheidung der artistischen in zwei besondere Fakultäten. Von Wert für die Fortentwickelung der Wissenschaft ist dieser Streit kaum gewesen. Der moderne Mensch sieht in der Gelehrsamkeit der deutschen Universitäten während des ganzen Mittelalters nur Stillstand, ja mehr als das, offenbaren Rückschritt. Die logischen Untersuchungen, die in der Blütezeit der Scholastik so manches auch heute noch von der Philosophie gewürdigte zu Tage gefördert hatten, arteten immer mehr in Spitzfindigkeiten und leere Spielereien aus, die Prinzipien einer gesunden Erfahrungswissenschaft, der Wert auch nur eines vernünftigen philologischen und historischen Wissens blieben dem scholastischen Geiste unfaßbar. Und so sehen wir denn den „Scholar, den Baccalaureus, den Lizentiaten, den Doktor des Jahres 1490 noch ganz in derselben Gestalt, noch ganz mit denselben Büchern, Kenntnissen und selbst Sitten ausgestattet, wie wir ihn im Jahre 1390 verlassen haben".

Wir Kinder einer neuen Zeit, die wir unter dem Einfluß der Naturwissenschaften die exakte Beobachtung, das voraussetzungslose, freie empirische Forschen mit mehr oder weniger Glück zur Norm auch in den sog. Geisteswissenschaften erhoben haben, vermögen uns nur schwer eine Vergangenheit vorzustellen, in der man das Wesen der Pflanze dadurch erklärt zu haben glaubte, daß man den mit diesem Worte sich verbindenden Begriff zergliederte, in der das Dogma von der unbefleckten Empfängnis Mariä ernsthaft als ein philosophisches Thema galt, in der ein Raimundus Lullus durch seine „große Kunst" (Ars magna) auf Grund weniger allgemeiner Sätze ganze große Wissenschaften, wie die Jurisprudenz, logisch zu entwickeln und einen befähigten Schüler in einem Monat zum perfekten Juristen ausbilden zu können sich anheischig machte, in der der gelehrte Mediziner seine Kenntnisse vom mensch-

Abb. 37. Akademisches Zechgelage (links der Arzt Dr. Avila). Holzschnitt aus: d'Avila, ein nützliches Regiment der Gesundheit. Augsburg, Steyner, 1531.

Abb. 38. Aristoteles mit seinen Schülern. Holzschnitt eines Augsburger Meisters ca. 1480.

lichen Körper und seinen Krankheiten nicht aus der Sektion und am Krankenbette, sondern aus den Schriften der Alten und ihren mittelalterlichen Kommentaren gewann, in der wohl gar ein neuer Magister artium verpflichtet wurde, sich fest an die Worte des Aristoteles wie an eine unzweifelhafte Wahrheit zu halten.

Es ist gewiß mit Recht bemerkt worden (von Kaufmann), daß das vorwiegendste Merkmal der Scholastik und damit der mittelalterlichen Wissenschaft überhaupt in dem Übergewicht der logischen Interessen zu suchen ist, in der Bemühung, weniger die Thatsachen zu sammeln und zu erkennen, als sie in Begriffe umzusetzen und aus diesen Begriffen über die Thatsachen zu urteilen. Die Leidenschaft, mit der sich das Mittelalter — seit dem Aufkommen der ersten Scholastiker — der Dialektik ergab, die Neigung zur Abstraktion und Deduktion beherrschte jedes Gebiet der Forschung, den Unterricht der ganzen Zeit. Es wurde über die Dinge räsonniert, anstatt sie zu beobachten. Damit hing aufs innigste zusammen, daß sich der Gelehrte des Mittelalters mehr mit den Meinungen seiner Vorgänger über irgend einen Gegenstand als mit diesem selbst beschäftigte. Die Abhängigkeit von den großen Meistern der Vorzeit, der Wert, der darauf gelegt wurde, ihre Lehren gewissermaßen mechanisch an der Hand zu haben, bedingte eine weit stärkere Inanspruchnahme des Gedächtnisses, die von uns heute Lebenden gewiß als unerträglich empfunden werden würde. Wir müssen freilich dabei bedenken, daß infolge des Fehlens leicht zugänglicher, billiger und bequemer Nachschlagebücher das Memorieren damals überhaupt eine weit größere Rolle spielte und gewiß auch die Fassungskraft des Gedächtnisses im allgemeinen eine größere war als heutzutage. Das Auswendigkönnen eines massenhaften, buntscheckigen Stoffes, die dialektische Schulung lassen es denn auch begreiflich erscheinen, daß der alte und junge Gelehrte ihren größten Ruhm in eine erfolgreich durchgeführte Disputation setzten. Aber nicht darauf kam es an, die Richtigkeit einer Behauptung mit triftigen Gründen zu erweisen: nein, seinen Scharfsinn im Zergliedern von Begriffen, seine Gewandtheit in der Kunst, eine jede beliebige Position zu verteidigen, wollte man zeigen. Ohne Scheu vor der Wahrheit machte man auch die schlechtere Sache durch sophistische Spitzfindigkeit und verblüffende Argumentationen zur scheinbar besseren und wenigstens im Augenblick siegreichen. Dabei mußte der mittelalterliche Gelehrte allerdings gar sehr auf seiner Hut sein, daß er auch die gewagtesten Fragen — und es gab ihrer viele, die das Allerheiligste berührten — im Sinne der Kirche löste. Häretische Meinungen, deren sich auch im Schoße der Scholastik nicht wenige regten, wurden nicht gelitten, andererseits ließ die Kirche selbst die abgeschmacktesten Verirrungen des Schulwitzes zu, angeblich, weil sie die dialektische Fertigkeit zur Widerlegung der Ketzer und Ungläubigen brauchte.

Das Spielen mit logischen Begriffen, die Sucht, mit Worten zu glänzen, wo wir heute Thatsachen verlangen würden, wurde nicht unwesentlich befördert durch die tote Sprache, deren sich der Gelehrte des Mittelalters in Rede und Schrift fast ausnahmslos bediente. Das Deutsche wäre ja in der That für solche Zwecke damals noch völlig unbrauchbar gewesen. Das Latein des Mittelalters war aber gewissermaßen eine lebende Sprache. Der Gelehrte des Mittelalters sprach und schrieb nicht nur, er dachte auch Lateinisch, er machte sich die fremde Sprache zu seinem praktischen Gebrauche zurecht, so daß sie ihm vertraut wurde wie seine Muttersprache. Freilich ein Ciceronianisches Latein war das nicht: heute dürfen sogar Tertianer über so manche monströse Sätze lachen, die zur Illustrierung des mittelalterlichen „Töpferlateins" mitgeteilt zu werden pflegen. Welch herrliche Kraft aber dieser barbarisch umgemodelten Sprache innewohnte, dafür legen die Verse des Archipoëta und so manches unvergeßliche Kirchengedicht noch heute ein beredtes, glänzendes Zeugnis ab.

Daß das Latein keine reineren Formen aufwies, hatte seinen Grund darin, daß im 13. und schon vorher im 12. Jahrhundert die klassischen Schriftsteller mehr und mehr der Vernachlässigung und schließlich so gut wie gänzlicher Vergessenheit anheimgefallen waren. Wenigstens gilt dies für Deutschland, bei weitem weniger für Italien. Seit dem Ende des 13. Jahrhunderts bis tief ins 15. hinein begegnen uns nur wenige Spuren der Benützung eines Virgil, Ovid, Cicero, von Schriftstellern also, die doch zur Zeit der Karolinger und Ottonen, auch noch unter den Staufern immer von neuem gelesen, abgeschrieben, auswendig gelernt, bewundert, geliebt und in Prosa wie in Versen eifrig nachgeahmt wurden. Vergebens hatten, als der Sieg der Scholastik noch nicht entschieden war, die Freunde der alten Litteratur ihre klagende Stimme erhoben und die auf ihre halbverdaute dialektische Weisheit übermütig pochende Jugend zu den ewigen Mustern eines schönen Stils und aller feineren Bildung zurückzuführen gesucht. Die neue Zeit betrachtete solche Dinge als Tändeleien, und sie hatte, bis zu einem gewissen Grade, nicht Unrecht. Man fühlte sich gedrängt, ernstere Aufgaben zu lösen, die leere Nachahmung klassischer Vorbilder konnte nicht mehr genügen. In ähnlicher Weise wurde drei Jahrhunderte später der Humanismus der Renaissanceperiode von den theologischen Interessen der Kirchenerneuerung in den Hintergrund gedrängt, die Klagen über sein Unterliegen lauten ähnlich bei Erasmus wie bei Johannes von Salisbury. Indessen was im 16. Jahrhundert nur ein vorübergehendes Symptom einer gewaltigen, um-

Abb. 39. Die sieben freien Künste dargestellt durch disputierende Gelehrte. Holzschnitt eines Augsburger Meisters ca. 1480.

Abb. 40. Allegorie der Logik. Die Logik bewaffnet mit Bogen (Frage) und Schwert (Schluß) bläst auf einem Horn, dem zwei Rosen (zwei Voraussetzungen) entsprießen. Ihr Mieder bedeutet Schlußfolgerung, der Arm Beweisführung. Vier Bäume im Hintergrund, der Wald der Meinungsverschiedenheiten, deuten auf die Hauptrichtungen der Scholastik. Ein Hund (Wahrheit) und ein Fuchs (Falschheit) jagen einen Hasen (das Problem). Holzschnitt aus: Murner, Logica memorativa Chartiludium logice. Straßburg, Grüninger, 1509.

wälzenden Bewegung sein sollte, machte der Sieg der Scholastik zu einer lange bleibenden Erscheinung, die zwischen der ersten und zweiten Hälfte des Mittelalters einen Hauptunterschied begründet.

Die Niederlage des „Humanismus" der älteren Epoche war eine vollständige. Von den Leuchten klassischer Beredsamkeit und Dichtkunst ist kaum noch hier und da mit unverstandenen Worten die Rede, geschweige denn daß sie gelesen wurden. Und doch fußte auch das ganze spätere Mittelalter durchaus auf der klassischen Tradition, ja gab sich ihr mit einer Inbrunst hin, die mit seinem kirchlich-bigotten Geiste in eigentümlichem Widerspruche zu stehen scheint. Aber die Ideale waren andere geworden. Nicht die poetischen, sondern die philosophischen, medizinischen, naturwissenschaftlichen Schriften der Alten begehrte man zum Studium. Und auch hierin beschränkte man sich auf einige wenige Autoren, und unter diesen wieder ragte turmhoch hervor der „Philosoph" an sich, Aristoteles. (Abb. 38.)

Die logischen Schriften des Aristoteles waren schon im früheren Mittelalter und zwar nach und nach sämtlich im Abendlande bekannt geworden. Seine Ausnahmestellung schreibt sich aber erst daher, daß um die Wende des 12. Jahrhunderts auch seine naturwissenschaftlichen und metaphysischen, seine ethischen und psychologischen Schriften der gelehrten Welt zugänglich gemacht wurden. Freilich geschah dies auf einem weiten Umwege. Nicht etwa oder wenigstens nur in einigen wenigen Fällen direkt aus Byzanz bezog man die aristotelischen Bücher, sie mußten erst durch nestorianische (syrische) Christen ins Arabische und dann wieder aus dem Arabischen, zum Teil durch spanische Juden, ins Lateinische übersetzt werden. Friedrich II. hat sich darum besonders verdient gemacht. Es waren aber meist nur untergeordnete Geister, die sich mit dieser Übersetzungsthätigkeit abgaben, denn die hervorragendsten Gelehrten des Abendlandes verstanden so wenig Arabisch wie Griechisch. Man kann sich denken, wie trübe der Quell aristotelischer Weisheit auf solche Weise zum Fließen gebracht wurde. Indes der mittelalterlichen Wissenschaft genügte das. Was sie nicht verstand, suchte sie teils, wunderbar genug, in den Kommentaren arabischer und jüdischer Philosophen, teils gefiel sie sich selbst darin, dunkle Stellen scharfsinnig zu erläutern und in ihrem eigenen befangenen mittelalterlichen Geiste umzudeuten.

Der Aristoteles war das A und O der mittelalterlichen Weisheit.

„Omnis hic excluditur, omnis est abiectus,
„Qui non Aristotelis venit armis tectus,
„Alle sind geächtet hier, finden zu die Thüren,
„Die des Aristoteles Wehr nicht können führen,

so lautete ein Verschen, das im Anfange des 13. Jahrhunderts in Paris gedichtet wurde. Damals hatte die aristotelische Philosophie noch mit wiederholten Angriffen und Verboten seitens der Päpste zu kämpfen. Wie viel mehr erst mußte dieses Sprüchlein zur Wahrheit werden, nachdem die Kirche selbst den alten Meister in ihren Schutz genommen und sein Studium der Geistlichkeit geradezu zur Pflicht gemacht hatte. Der Name des Stagiriten ist von streng christlichen Lehrern und Schülern des Mittelalters gewiß öfter im Munde geführt worden als jemals im Altertum von seinen Landsleuten, ja es hat wohl nie ein Gelehrter dermaßen alles wissenschaftliche Denken und Arbeiten beherrscht wie der alte Heide, der sich so schön zum „Kirchenvater der Philosophie", wie man ihn auch genannt hat, gebrauchen ließ. Aristoteles begleitete den Jünger der Wissenschaft von der untersten Stufe logischer Begriffsauffassung bis zur Höhe scholastisch-theo-

Abb. 41. Allegorie der Rhetorik. Sie hat im Munde ein Schwert und einen Lilienstengel (Schärfe und Milde). Ihr zur Seite stehen Virgil (Poesie), Aristoteles (Naturkunde), Justinian (Rechtskunde), Seneka (Ethik), Sallust (Geschichte). Zu ihren Füßen spricht M. Tullius Cicero zum römischen Volke. Holzschn. aus: Gregor Reisch, Margarita philosophica. Straßburg, Joh. Schott, 1504.

Abb. 42. Allegorie der Philosophie, die dreiköpfig dargestellt ist. Zu ihren Füßen Logik, Rhetorik, Grammatik, Arithmetik, Musik, Geometrie, Astronomie. Außerhalb des Kreises Aristoteles (Naturwissenschaft), Seneca (Morallehre). Oben als Vertreter der Philosophia divina (Lehre von Gott) die Kirchenväter St. Augustin, Gregorius, Hieronymus und Ambrosius. Holzschnitt aus: Gregor Reisch, Margarita philosophica. Straßburg, Joh. Schott, 1504.

logischer Erkenntnis. Und der Gelehrte des Mittelalters kannte keinen höheren Ruhm als für einen gründlichen Kenner des „Philosophen" gehalten zu werden.

Die mittelalterliche Gelehrsamkeit, wie sie an den Universitäten übermittelt wurde, stellte gewissermaßen ein großes, ansehnliches Gebäude dar, das in einen deutlich unterschiedenen Ober-

und Unterbau zerfiel. Der Oberbau, um im Gleichnis zu bleiben, setzte sich wieder aus drei großen Hallen, den drei oberen Fakultäten, zusammen, in die man in der Regel nicht hineingelassen wurde, es sei denn daß man zuvor so und so lange Zeit im Unterbau verweilt und der höchsten Ehren, die es hier zu erringen gab, teilhaftig geworden wäre. Wir wissen schon, daß der Unterbau an den Universitäten durch die philosophische oder wie sie früher allgemein hieß, die artistische Fakultät gebildet wurde. Letzteren Namen hatte sie daher, weil in ihr die „septem artes liberales", die sieben freien oder schönen Künste — wie sie zum Unterschied von dem auch als ars bezeichneten Handwerk hießen — gelehrt wurden. Das System derselben stammte aus dem Altertum, wir finden es daher schon im frühen Mittelalter, in Deutschland zuerst in der karolingischen Periode entwickelt. Es beherrschte den Unterrichtsbetrieb in den Klöstern wie überhaupt in den mittelalterlichen Schulen und ging von diesen auf die Universitäten über. Von den sieben Fächern bildeten drei, Grammatik, Rhetorik und Logik die Unterstufe, das Trivium, in dem der Scholar für das Studium der vier höheren Künste, Arithmetik, Geometrie, Musik, Astronomie, die Oberstufe oder das sog. Quadrivium, vorbereitet wurde.

In der Praxis freilich war dies Schema selbst für das Mittelalter, wenigstens für das spätere, viel zu eng. Namentlich für die eigentliche Philosophie, die einen Hauptunterrichtsgegenstand an den mittelalterlichen Universitäten bildete, war kein Raum in ihm. Sie wurde denn auch, wie wir das auf nebenstehendem Bilde sehen, als Krönung des in der artistischen Fakultät gelehrten wissenschaftlichen Systems der artes aufgefaßt. Daß sie dort dreiköpfig erscheint, war eine alte mittelalterliche Tradition, indem damit auf die Dreiteilung der Philosophie in die Philosophia naturalis, rationalis (oder auch metaphysica) und moralis angespielt wurde. Uns Neueren erscheint es befremdlich, daß man zu der philosophia naturalis damals auch das rechnete, was wir

Abb. 43. Allegorie der Grammatik. Mit der rechten Hand zeigt sie einem Schüler eine Tafel mit dem Alphabet, mit der andern erschließt sie den Turm der Wissenschaft. Unten zwei Unterrichtsscenen (Donat, Priscian). In der ersten Reihe oben die Vertreter der Logik, Rhetorik und Grammatik. In der zweiten Reihe die der Musik, Geometrie, Astronomie. In der dritten Reihe die der Physik und Moralwissenschaft. Zu oberst Petrus Lombardus als Vertreter der Theologie. Holzschnitt aus: Gregor Reisch, Margarita philosophica. Straßburg, Joh. Schott, 1504.

Abb. 44. Die Astronomie lehrt dem Ptolomäus sein Himmelssystem. Allegorie. Holzschnitt aus: Gregor Reisch, Margarita philosophica. Straßburg, Joh. Schott, 1504.

heute unter Physik verstehen, und deshalb die Lufterscheinungen, die Fragen nach den Eigenschaften des Festen und Flüssigen sowie auch etwa die Gestalt des Weltalls, die Bewegung der Fixsterne und Planeten als philosophische Probleme auffaßte.

Wie sich der Unterricht in den genannten Disziplinen im Einzelnen gestaltete, wie darin überall das dialektische Moment die Vorherrschaft übte, darauf soll in der Monographie über den Lehrer und Schüler näher eingegangen werden. Hier sei nur dies eine gesagt, daß das Ziel, das in der untersten Fakultät der Universitäten erreicht wurde, manchmal von dem, was der Unterricht an einer gutgeleiteten Schule bot, nicht sehr verschieden war. Was man anstrebte, war in beiden Fällen eine allgemeine gelehrte Bildung. Allerdings wurde diese im damaligen Unterricht nur einseitig übermittelt. Fehlten doch darin so wichtige Wissensstoffe wie Geschichte und Geographie gänzlich. Auch die Fächer des Quadriviums wurden an den Universitäten häufig völlig vernachlässigt. Diesem Mangel abzuhelfen entstanden eine Anzahl gewaltiger Encyklopädieen, Weltchroniken u. s. w., die dem universalen Interesse des Mittelalters, das womöglich alle Wissenschaft in einem einzigen Buche zusammenhaben wollte, nach Möglichkeit entgegenkamen.

Nur im Vorübergehen sei hier bemerkt, daß das Mittelalter neben den bonae artes auch eine Anzahl artes illicitae (unerlaubte Künste) kannte, an deren Wirksamkeit es im allgemeinen nicht zweifelte, die seinem christlichen Sinne aber immer höchst verdächtig vorkamen. Wenn schon Astrologie, Alchimie und wohl auch Chiromantie nicht immer dazu gerechnet wurden, so doch sicher Magie und Nekromantie, deren Beherrschung die abergläubische Menge einem mit naturwissenschaftlichen Experimenten sich abgebenden Gelehrten, wie der Fall des Albertus Magnus uns gezeigt hat, nur zu gern zuzutrauen geneigt war. Auch der angebliche Erfinder des Schießpulvers, der Franziskanermönch Berthold, der um seiner alchimistischen Studien willen der „Schwarze" genannt wurde, ist ein sprechendes Beispiel dafür. Es ist auch nicht zufällig, daß manche dieser Künste erst in späterer Zeit so recht in Aufnahme kamen. Der zuweilen ausgesprochen heidnisch-naturalistische Sinn des Humanismus glaubte an die astrologischen Wahnvorstellungen, die der fromme christliche Sinn des Wiener Scholastikers Heinrich von Langenstein entschieden bekämpft hatte.

Wie in der philosophischen Fakultät der Aristoteles, so genossen auch in den oberen Fakultäten gewisse Schriften ein vornehmlich kanonisches Ansehen, in der Medizin Hippokrates und Galenus, in der Jurisprudenz das Corpus iuris und das Decretum samt der Glosse, in der Theologie natürlich die Bibel und die Sentenzen des Petrus Lombardus.

Die für das ganze Mittelalter charakteristische Abhängigkeit von der gelehrten Tradition war entschieden am bedenklichsten in der Heilkunde, die nur auf eine immer erneute lebendige Naturbeobachtung mit Erfolg gegründet werden kann. Die anatomische Sektion eines menschlichen Leichnams war aber aus religiösen Gründen nur höchst selten zugelassen, und in welche Fesseln wurde die empirische Forschung geschlagen, wenn z. B. in Erfurt der Doktorand schwören mußte, von den Lehren des Hippokrates nicht abweichen zu wollen. Dementsprechend herrschte auch in der Medizin die Disputationssucht vor, und auch hier verstieg man sich zu solchen lächerlichen Quästionen, wie zu der, ob Adam einen Nabel gehabt habe. Auch in der Jurisprudenz übte man seinen Scharfsinn mit Vorliebe an müßigen „Doktorfragen", an spitzfindigen Erörterungen, z. B. über das Erbrecht infolge von Verwandtschaftsverhältnissen, die im Leben überhaupt nicht vorkommen konnten. In den Vorlesungen herrschte die Glosse, d. h. die mittelalterliche Erklärung des Corpus Juris und des Decretum, und namentlich Bartolus und Baldus genossen eine fast abergläubische Verehrung. Dabei verfuhr man mit einer Breite und Umständlichkeit, durch Anführung von Parallelstellen, Quästionen und Kontroversen, daß für die Behandlung nur weniger Gesetztitel Monate, ja Jahre gebraucht wurden. Das römische Recht kam übrigens, wie wir bereits wissen, erst um die Mitte des 15. Jahrhunderts an den Universitäten in Aufnahme. Man berief zu seiner Vertretung gern italienische Professoren. In den ersten 100 Jahren ihres Bestehens kannten die deutschen Universitäten nur das kanonische (kirchliche) Recht, und es waren wesentlich nur Geistliche, die die Hörsäle der Juristen füllten.

Ganz und gar unter dem Einfluß der dialektisch-scholastischen Methode stand die höchste und heiligste der Wissenschaften, die Theologie, der nach mittelalterlicher Auffassung eigentlich alle anderen Wissenschaften, zumal die artes, zu dienen berufen waren. Der Theologie fehlte jeder Sinn für die geschichtliche Entwickelung der christlichen Kirche, das historische Auge, wie Döllinger bemerkt; sie hatte nur ein spekulatives. Das Verständnis der hl. Schrift mußte schon wegen der Unkenntnis der Sprachen des Urtextes immer ein ungenügendes bleiben. Außerdem verbaute man sich selber den Weg dazu, denn statt eine Stelle in ihrem Zusammenhange nach dem natürlichen Wortsinn zu erklären, suchte man überall nach einer allegorischen und mystischen Deutung, ja man behauptete, daß der hl. Geist in der Bibel seine ganz besondere Logik habe. Dadurch ward den seltsamsten Schrullen Thür und Thor geöffnet. So

Abb. 45. Allegorie der Arithmetik. Zu ihren Füßen Boethius mit einer Zahlentafel und Pythagoras mit einem Rechenbrett. Holzschnitt aus: Gregor Reisch, Margarita philosophica. Straßburg, Joh. Schott, 1504.

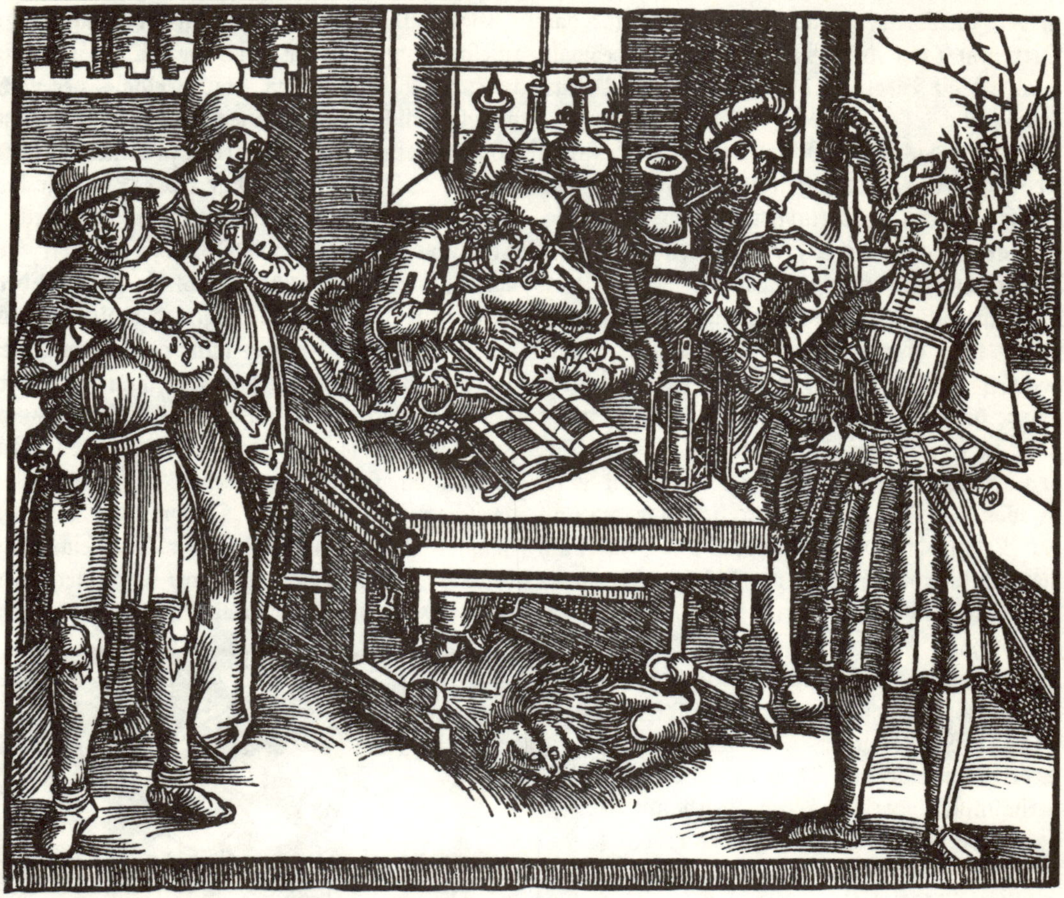

Abb. 40. Allegorie. Schwierigkeit des ärztlichen Studiums. Zu einem Gelehrten, der in einem Buch studiert, treten links ein krankes Paar, rechts ein Arzt mit seinem Harnglas und ein Bote. Holzschnitt aus: H. Brunschwig, Buch der wahren Kunst zu destillieren. Straßburg, Grüninger, 1512.

sollte der Zug der Juden durch das rote Meer auf die Taufe deuten u. dgl. m. Noch Luther war vielfach in dieser Auffassung befangen, wie ein jeder sich erinnern wird, der einmal die Kapitelüberschriften des Hohen Lieds in seiner Bibelübersetzung gelesen.

Außer der Bibel waren es namentlich die Sententien des Petrus Lombardus, ein scholastisches Lehrbuch der Dogmatik aus dem 12. Jahrhundert, die dem Universitätsunterricht zu Grunde gelegt wurden. Ja, es galt für ehrenvoller, über sie zu lesen als über die Bibel. Der Baccalarius, der dazu die Berechtigung erhalten hatte, hieß davon Sententiarius und stand auf einer höheren Stufe als der Biblicus oder Cursor, der nur über bestimmte Bücher der hl. Schrift lesen durfte. Überhaupt traten die Bibel und die Kirchenväter mit ihrer einfach-verständigen Weisheit hinter den in subtilsten Erörterungen schwelgenden Wortführern der Scholastik völlig in den Hintergrund. Der Aristoteles war auch in der Theologie zum Siege gekommen, und der gefeiertste Theologe wie überhaupt der größte Gelehrte war derjenige, der am scharfsinnigsten zu disputieren verstand. Selbstverständlich trieb diese Kunst nun auch auf den großen Kirchenversammlungen, den Provinzial-Synoden und Ordenskapiteln üppige Blüten. Ob dies der Sache zugute gekommen, möchte allerdings sehr zu bezweifeln sein.

So viel von dem Betrieb der Wissenschaft an den Universitäten. Was es außerhalb derselben im 14. und 15. Jahrhundert an Gelehrsamkeit gab, darauf können wir hier kaum eingehen. In jeder Stadt fanden sich ihre Vertreter, vor

Abb. 47. Der Pfründensucher. Bewerbung um eine Pfründe. Holzschnitt von Hans Frank 1516. B. VII, 7.

allem natürlich unter der Geistlichkeit, unter den Ärzten, dann auch gegen Ende des 15. Jahrhunderts unter den gelehrten Richtern und Notaren. Nicht klein war die Zahl der gelehrten Stadtschreiber, von denen wir so manchen als tüchtigen Chronisten anführen könnten. Allein im 15. Jahrhundert hatten doch auch diese Leute meist schon eine Zeit lang der artistischen Fakultät irgend einer Hochschule angehört und standen so doch wenigstens unter dem Einfluß der Universitäten.

Die Universitäten nun sind es gewesen, an und mit denen sich ein besonderer Gelehrtenstand oder Gelehrtenberuf entwickelt hat. Früher hatte es nur gelehrte Mönche und Geistliche gegeben. Selbst die beste Unterrichtspflege in den alten Benediktinerklöstern oder auch in den Studienanstalten der Bettelmönche hätte die Wissenschaft nie aus der engen Verbindung und Abhängigkeit vom geistlichen Stande lösen können. An den Universitäten wurde die Wissenschaft selbst eine Macht, hier fand sie einen festen Rückhalt, äußerlich sichtbare Formen und Ordnungen und eine, wenn nicht alle, so doch die damals als vornehmlich berechtigt geltenden Wissenszweige umfassende Organisation. Und wie schon das alte geflügelte Wort, daß jedem der drei Hauptländer der Christenheit etwas zugefallen wäre, Italien das Papsttum, Deutschland das Kaisertum, Frankreich das Studium (nämlich in Paris), die Wissenschaft als gewissermaßen gleichberechtigt neben Kirche und Staat setzte, so traten jetzt auch in Deutschland Männer auf, die nichts anders waren und sein wollten als eben Gelehrte.

Allerdings der geistliche Charakter haftete dem deutschen Gelehrten noch fast das ganze Mittel-

Abb. 48. Gelehrter in Talar und Barett im Gespräch mit einem Scholaren. Holzschnitt in der Art des J. Wechtlin. 16. Jahrh. Gotha, Kupferstichkabinet.

alter hindurch an. Er war keineswegs immer ein Geistlicher, nur die niederen Weihen hatte er wohl meist empfangen. Er war aber in den weitaus meisten Fällen unbeweibt. Schon allein aus praktischen Gründen mußte er dies sein, um nicht von den kirchlichen Benefizien, auf die die Universitätslehrer angewiesen waren, ausgeschlossen zu werden. Andererseits war aber keine Rede davon, wenigstens nicht in Deutschland — in Paris dachte man lange strenger darüber —, daß die Zugehörigkeit zur Universität an sich jemanden, er sei Lehrer oder Lernender, geistlich gemacht hätte. Zumal die Mediziner waren wohl in sehr früher Zeit meist beweibt, dann auch die Juristen, wenigstens die Legisten — in Italien waren sie es fast durchweg — und auch unter den artistischen Magistern waren am Schluß des 15. Jahrhunderts Verheiratete nicht ganz selten. Daß seit der Mitte des 15. Jahrhunderts Verheiratete auch zu Rektoren gewählt wurden, wissen wir schon. Mancher freilich unter den gelehrten Herren wollte sich mit dieser neuen Sitte garnicht recht befreunden, wie z. B. der Verfasser eines Ingolstädter Gutachtens von 1497, der an dem Rückgang der Universität den juristischen und medizinischen Doktoren Schuld geben zu müssen glaubte, die fast alle Weiber und Kinder hätten und „der Lehr nicht achten". Und in die Wiener Matrikel hat ein verbissener Junggeselle zu einem Namen den wohl kaum scherzhaft gemeinten Eintrag gemacht: Uxorem duxit versus in dementiam. Er nahm ein Weib, weil er verrückt geworden.

Es führte also die Mehrzahl der deutschen Gelehrten an den Universitäten ein cölibatäres Dasein. Vielfach geschah dies in Gemeinschaft, nämlich in den sog. Kollegien, von denen in unserer Monographie über den Lehrer ausführlicher gehandelt werden soll. Der klösterliche Zuschnitt, der in diesen Stiftungshäusern herrschte, verhinderte allerdings nicht, daß die Magister durch Völlerei, Unzucht, Streit- und Rauflust oft großen Anstoß erregten. Namentlich geschlechtliche Ausschweifungen waren bei den Gelehrten nichts seltenes, was ja in dem Cölibat derselben begründet ist. Doch wagte sich die Unzucht damals kecker an den Tag. Man war derber und ungenierter, die konventionelle Lüge war noch wenig entwickelt. Übrigens nahm man an Dingen Ärgernis, über die wir heute freier denken. Das Mittelalter, ganz im Gegensatz zu der auf Ausgleichung der Klassenunterschiede abzielenden Tendenz in unsern Tagen, verlangte, daß sich ein jeder Stand und Beruf schon durch sein Äußeres kundgeben sollte. In Universitätsverordnungen wird es als höchst ungehörig bezeichnet, daß man einen Doktor nicht von einem Kaufmann und einen Scholaren nicht von einem Schneiderknecht (d. i. Gesellen) unterscheiden könne. So sollte denn der Gelehrte seinem ganz- oder halbgeistlichen Charakter entsprechend in einer ehrbaren, unauffälligen Tracht einhergehen. Sie bestand gewöhnlich aus einem langen Rocke von dunkler Farbe, über dem ein Mantel oder Talar getragen wurde, häufig auch die sog. Schaube, die bei Vornehmeren mit Pelz verbrämt war. Das Tragen von Mänteln, die auf der einen Seite offen waren, von Röcken, die nicht über die Kniee reichten, wurde den Magistern in Leipzig schon 1436 verboten, bei Strafe von drei Monaten Suspension. Indes die lange, züchtige Tracht war wenig beliebt, und die Verfügungen mußten immer von neuem wiederholt werden. Es konnte schon als ein Erfolg gelten, daß die Magister in der Amtstracht lasen oder wenigstens bei feierlichen Gelegenheiten, bei Disputationen, in der Kirche u. s. w. darin erschienen. Baccalaren, die sich ohne Habit dabei betreffen ließen, wurde dies als Abwesenheit gerechnet.

Im ganzen sind wir über jene alte Zeit nur schlecht unterrichtet. Die Vorzüge jedes wahren Gelehrten, Fleiß, Gründlichkeit und Wahrheitsliebe werden ebenso wenig gefehlt haben, wie es sicher ist, daß die Gelehrten von dazumal häufig allerlei üble Eigenschaften, Faulheit, Unwissenheit, Hochmut, Nepotismus bei Vergebung von Stellen, Zanksucht u. s. w. an den Tag gelegt haben. Von den Tugenden, die in der Stille geübt werden, wird ja jederzeit immer nur wenig gesprochen. Für die Untugenden aber haben wir zahlreiche Belege, einmal aus den Akten und dann aus den Satiren jener Zeit.

Es ist nicht schön, daß sich die Professoren der Heidelberger Universität von dem kurfürstlichen Kanzler ins Gesicht sagen lassen mußten, wie sie in allen Dingen nach Parteilichkeit verführen und nur darauf aus wären, ihren Gehalt zu beziehen, während sie sich um die Verwaltung der Universität so gut wie garnicht kümmerten, wie dagegen „Irrung, Zwietracht, Widerwillen, Neid und Haß" unter ihnen herrsche. Ein Leipziger Aktenstück erklärt: „die ursach, schmelerung und abnemung der universitet ist anders nichts dan der doctor unvlis mit lesen und anderen iren sachen." Vielen Professoren sagte man nach, daß sie nicht einmal ihr Latein ordentlich beherrschten, vielmehr, wenn sie im Vortrag auf eine Schwierigkeit stießen, gerade da, wo das Reden am nötigsten wäre, ins Stocken kämen, um schließlich nur mit größter Mühe und in holprichten und unpassenden Ausdrücken fortzufahren. Die Unwissenheit der Gelehrten macht auch Sebastian Brant in seinem Narrenschiff zur Zielscheibe seines Spottes. Ja der Gelehrte führt den Chor der Narren an und spricht dabei:

„Den vordantz hat man mir gelan,
„Dann ich on nutz vil bücher han,
„Die ich nit ließ und nit verstan.

Aber so wenig er von seinen Büchern versteht, er hält sie doch in hohen Ehren und leidet es nicht, daß sich die Fliegen darauf setzen, die wir ihn denn auch auf nebenstehender Abbildung mit einem Wedel fortjagen sehen. Wenn ein wissenschaftliches Gespräch geführt wird, so sagt er, das habe er alles daheim in seinen Büchern, was solle er darin studieren:

„Wer vil studirt, würt ein fantast".

Ein paar lateinische Brocken genügen,

„Ich weyß, das vinum heyßet win,
„Gucklus ein gouch, stultus eyn dor
„Und das ich heyß domne doctor.

Wenn er nicht die Ohren zugedeckt hätte, so würde man wohl bald des Müllers Thier an seiner Statt hervorlugen sehen.

Ein großer Schaden für die Universitäten war es, daß namentlich die Kollegiatstellen nicht nach Verdienst, sondern meist nach Gunst an Unwürdige vergeben wurden, ja schlimmer noch, es war z. B. zu Leipzig eine „gemeine Rede", daß man selten „ohne große und merkliche Gaben und Geschenke" an die Professoren zu etwas gelangen könne. Bei den Prüfungen ging es ähnlich zu.

Abb. 49. Der Büchernarr. Mit Schlafmütze, Brille und zurückgestreifter Narrenkappe, scheucht er mit einem Wedel die Fliegen von einem aufgeschlagenen Buch. Holzschnitt aus: Sebastian Brant, Narrenschiff. Basel, J. Bergmann von Olpe, 1494.

Abb. 50. Allegorie des Weiſen, der im Alter zum Kind wird und daher in einem Laufſtuhl Gehverſuche macht. Holzſchnitt von Hans Glaſer (in Nürnberg 1540—60 thätig). München, Kupferſtichkabinet. Nag. M. III, 972, 3.

Häufig gab es Zwietracht und Irrungen zwiſchen den verſchiedenen Fakultäten, heftiger aber war der Haß der wiſſenſchaftlichen Richtungen unter einander. Die Realiſten wollten keine Nominaliſten, die Anhänger der via antiqua keine Vertreter des „neuen Wegs“ an derſelben Univerſität dulden und umgekehrt. Trotz aller Verbote der Landesobrigkeit wurde beſtändig darüber geſtritten und gezetert, ſelbſt bis zu körperlichen Vergewaltigungen verſtieg man ſich, und auch die Teilung der artiſtiſchen Fakultäten konnte den gelehrten Hader nicht aus der Welt ſchaffen. Sind doch Zank, Neid und Haß immer eine beſondere Untugend der Gelehrten geweſen, pflegten dieſe doch und pflegen ſie wohl noch — vielleicht in Deutſchland mehr als anderswo — ihre wiſſenſchaftlichen Meinungsverſchiedenheiten gern in perſönliche Feindſchaft umzuſetzen. Wie Goethe ſagt: „Die Gelehrten ſind meiſt gehäſſig, wenn ſie widerlegen; einen Irrenden ſehen ſie gleich als ihren Todfeind an“.

Welch armſelige Dinge waren es aber häufig, über die man ſtritt! In Heidelberg entbrannte 1497 ein nur mit Mühe vom Kurfürſten geſchlichteter leidenſchaftlicher Streit zwiſchen den Scholaren der juriſtiſchen Fakultät und den artiſtiſchen Magiſtern über die Frage, ob jenen auch das Recht zuſtünde, Barette zu tragen. Denn wie gering auch das Ehrgefühl der Hochgelehrten entwickelt war, ſo ſehr pflegten Standesdünkel und Hoffart ſich breit zu machen. Brant ſpottet über die gelehrten „Narren“, die ſich darum gar hoch hielten, weil ſie aus „welſchen Landen“ kämen

„Und ſy zu ſchulen worden wiß
„Zu Bonony, zu Pavy, Pariß
„Zur hohe Syen (Siena) inn der Sapientz
„Auch in der Schul zu Orlyens u. ſ. w.

Als ob man nicht auch in Deutschland Weisheit zu gewinnen vermöchte. Auch die Disputationen, meist über leere Fragen, die Freude eines dialektischen Zeitalters, waren nur zu geeignet, den Hochmut zu nähren und keine wirkliche Weisheit zu geben. Doch schon allein, daß man den Doktorhut begehrte, galt in den Augen vieler als sündhafte Eitelkeit.

Die Unfruchtbarkeit der scholastischen Wissenschaft ließ nun auch ein anderes altes Erbübel des Gelehrten zu einer wenig erfreulichen Blüte gedeihen, das ist der aus der Überfülle des gelehrten Wustes sich ergebende Mangel an Geistesfreiheit, das Ersticken in den hergebrachten Formeln, Regeln und Ansichten, die Freude am Kleinlichen und Schulmäßigen, mit einem Worte die Pedanterie. Wenn dieselbe als eine ins Übermaß getriebene Gründlichkeit und Ordnungsliebe anzusehen ist, so hat der Deutsche wohl auf einen ganz besonders großen Teil davon Anspruch, wie denn auch Jacob Grimm gesagt hat: Wenn das Pedantische in der Welt unerfunden geblieben wäre, der Deutsche hätte es erfunden. Kann die Pedanterie geradezu in einen psychopathischen Zustand ausarten, zur gelehrten Narrheit werden, so ist mit ihr oft ein anderer, wenn auch harmloserer Fehler des Gelehrten verbunden, das ist seine Zerstreutheit, sein unpraktisches Wesen, seine kindliche Unbeholfenheit gegenüber den Dingen des realen, Thaten fordernden, oft so unbedeutenden, aber immer mächtigen täglichen Lebens. Wer den ganzen Tag über in sein Museum (Studierzimmer) gebannt sitzt und „sieht die Welt kaum einen Feiertag", verliert schließlich jedes Verständnis und jedes praktische Verhältnis zu ihr, er bleibt weltlich unerfahren wie ein Kind und läßt sich von dem einfachen Mutterwitz übertölpeln, und wenn er noch so gelehrt wäre. Es ist erklärlich, daß sich gerade an diese so auffallende Charaktereigentümlichkeit der Gelehrten Spott und Satire mit besonderer Vorliebe heranmachten. Der Volkswitz sagte: Je gelehrter, je verkehrter, und glaubte aus dem lateinischen „Doctor" das deutsche Wörtchen Thor herauszuhören. Felix Hemmerlin schlug spöttisch vor, Doctoren der Narrheit zu ernennen. Murner in seiner Narrenbeschwörung behauptete, daß es nichts schädlicheres gebe als einen gelehrten Narren. Ein Fastnachtsspiel schildert einen durch allzuvieles Studieren verrückt gewordenen.

Am übelsten wird den Gelehrten im Till Eulenspiegel mitgespielt. Hier sind sie überall die Dummen und Gefoppten und das je mehr, je weiser sie sich selbst zu sein scheinen. Ein gelehrter Doktor der Rechte, am Hofe des Erzbischofs von Magdeburg, den um seiner Dünkelhaftigkeit willen das ganze Hofgesinde nicht leiden mag, merkt garnicht, was für ein grober, unflätiger Possen ihm von Eulenspiegel, der sich als Arzt ausgiebt, gespielt wird. In Prag fordert Eulenspiegel durch Anschläge an den Kirchenthüren und Kollegien die ganze Universität zu einer großen Disputation auf. Der Rektor und die Magister stellen ihm die verfänglichsten Fragen: Wieviel Tropfen sind im Meer? Wo ist der Mittelpunkt der Erde?

Abb. 51. Titelblatt der ersten erhaltenen Ausgabe des Eulenspiegel. Straßburg, Grüninger, 1515.

Scriptorum tot sunt monumenta, quot aurea cœlo
Sydera, at in paucis stat tibi vera salus.

Was hilffts dich daß viel Bücher schreibst/
Darbey ein ungelehrter bleibst.
Wilt du werden weiß und klug/
Leb wol/ so hastu Bücher gnug.

Abb. 52. Eine Schreibstube, in der verschiedene Gelehrte Bücher schreiben. Holzschnitt vom Trostspiegel-Meister, 16. Jahrhundert. Aus: Newe künstliche Figuren. Frankfurt, Steinmeyer, 1620.

Wie weit ist der Himmel von der Erde? Eulenspiegel ist gescheiter. Er heißt den Rektor alle Bäche und Flüsse stille stehen lassen, dann wolle er das Meer ausmessen und genauen Bescheid geben. Die Mitte der Erde sei nirgends anders, als wo er stehe. Man solle es nur ausmessen mit einer Schnur, und wenn es auch nur an einem halben Strohhalm fehle, so wolle er Unrecht haben. Was man auf Erden auch nur leise spreche, das könne man im Himmel wohl hören. Der Rektor solle nur hinaufsteigen und sich selbst davon überzeugen. In Erfurt übernimmt der Eulenspiegel, einen Esel lesen zu lehren. Er streut Haferkörner zwischen die Blätter eines alten Psalters, der Esel wendet sie um und schreit I—a. Zwei Buchstaben hat er schon gelernt. Der Rektor und die Doktoren müssen's zugeben. Aber Eulenspiegel denkt: Solltest Du in Erfurt alle Esel klug machen, das würde Schweiß kosten, und zieht weiter.

Schon früher einmal, in dem Gedichte vom Wartburgkrieg — es stammt aus dem Ende des 13. Jahrhunderts — ist dargestellt, wie der schlichte Laie den Gelehrten überwindet. Der Zauberer Klingsor ist (nach Scherer) der Repräsentant geistlicher Buchweisheit. Aber Wolfram von Eschenbach, der ungelehrte Ritter, löst alle seine Rätsel.

Und doch hatte das Volk einen abergläubischen Respekt vor der Gelehrsamkeit. Klingsor war ein Astronom und Nekromant. Wir kennen schon die Erzählungen von Albertus magnus. Der böse Geist im Teuerdank kommt als gelehrter Doktor zu dem Helden der Dichtung. Die Geschichte vom Dr. Faust entstand aber erst im 16. Jahrhundert.

Im ganzen kann man sagen, als das Mittelalter sich zum Ende neigte, hatte sich auch das wissenschaftliche Leben und Treiben desselben voll-

Res bona librorum, si quis bene nouerit vti, *Copia, sed fatuos copia sæpe facit.*

Wenig kunst vnd Bücher viel'
Das ist der Narrenfrewdenspiel.
Der darff nicht viel der Bücher hon/
Der Christlich lebt vnd recht wil thun.

J iij

Abb. 53. Bibliothek mit großen, kostbar eingebundenen Folianten, die durch Feuer vernichtet werden. Allegorie auf die Gefährlichkeit der durch die Bücher verbreiteten Meinungen. Holzschnitt vom Trostspiegel-Meister, 16. Jahrhundert. Aus: Newe künstliche Figuren. Frankfurt, Steinmeyer, 1620.

kommen ausgelebt. Die gelehrten Häupter an den Universitäten waren vertrocknet, sie hatten nicht die geringste Fühlung mit dem nationalen Leben. Damals, als die Scholastik aufgekommen, hatte sie eine Zeit der Blüte des menschlichen Geistes bedeutet, der nicht immer nur rezeptiv, sondern auch selber produktiv sein wollte. Jetzt aber war ihr Born erschöpft, ihre unfruchtbaren Spitzfindigkeiten boten dem Geiste nur die leere Form, dieser aber verlangte nach einem anziehenden und belebenden Inhalt, nach Schmuck und Schönheit. Waren ja doch inzwischen auch die äußeren Lebensbedingungen überall so sehr viel reicher geworden. An Stelle der alten Naturalwirtschaft war die Geldwirtschaft aufgekommen, im Zusammenhange damit machte der Handel die Bürger in den Städten wohlhabend und mächtig. Dem neuen Bedürfnis nach reicherer geistiger Kost konnte nun aber nichts förderndere s entgegenkommen, als der Humanismus, die Wiederbelebung der Antike, die inzwischen in Italien schon eine Fülle von Geist und Schönheit entfesselt hatte.

Ehe wir nun aber zu der Neugestaltung des gelehrten Wesens übergehen, die sich in und mit dem Humanismus vollzog, müssen wir hier noch kurz einer deutschen Erfindung gedenken, deren Wirkungen zwar zunächst nur mehr äußerliche waren, in der Folge aber doch mit dem ganzen Studienbetrieb auch das innere Leben des Gelehrten ganz gewaltig beeinflußt haben. Wir meinen die Erfindung der Buchdruckerkunst in der Mitte des 15. Jahrhunderts. Ihre Hauptwirkung war die Verbilligung der Bücher. Es ist erklärlich, daß die Handschriften durchweg sehr teuer waren. Dazu kannte das Mittelalter keine

Zů eren der würdigen mûtter gottes Beschlusz: dises wercks Sebastiani Brandt.

Abb. 54. Der Autor widmet sein Werk der Jungfrau Maria. Schlußbild zu: Sebastian Brant, Richterlich Klagspiegel. Straßburg, Hupfuff, 1516.

öffentlichen Bibliotheken. Allerdings gab es solche, die wenigstens einem beschränkten Kreise von Gelehrten zugänglich waren, so vor allem als die ältesten die Kloster- und Kirchenbibliotheken, in deren Schätzen so mancher fleißige Mönch oder Domherr reiche geistige Nahrung fand. Im späteren Mittelalter wurden diese unermeßlich wertvollen Bibliotheken nicht selten arg vernachlässigt. Nicht nur, daß sie dem Staub und Würmerfraß ausgesetzt waren, es wurden viele Bücher als Pfänder ausgegeben, auch an Juden, und durch Verkauf sogar völlig entfremdet. Die Universitäten sehen wir meist von Anfang an mit Bibliotheken versehen. Auch Fakultäten besaßen solche sowie die Kollegia der Magister und die Bursen der Scholaren. Die Benützung der Bücher im Bibliotheksraume selbst scheint nicht besonders schwierig gemacht worden zu sein. Der Gefahr einer Entwendung begegnete man vielfach dadurch, daß wichtigere Bücher an Ketten befestigt und mit Schlössern wohl verwahrt wurden. Die übrigen befanden sich meist in Schränken und Schreinen oder in sog. Buchkaltern. Wurden sie ja ausgeliehen, so mußte dagegen ein gleich wertvolles Buch, häufig ein noch wertvolleres als Pfand hinterlegt werden. Mit und ohne Vorsicht ging trotzdem so manches schöne Buch verloren. Frühe bestanden auch schon fürstliche Bibliotheken, wie etwa die Heidelberger, und städtische „Libereyen", wie z. B. 1429 Dr. Konrad Kunhofer, der „Stadt Jurist", dem Nürnberger Rate seine gesamte Bibliothek, 151 Bücher, davon über die Hälfte theologischen, 38 juristischen Inhalts, vermachte.

Natürlich waren alle diese Bibliotheken, wenn überhaupt, nur zu gewissen Stunden des Tages zugänglich. Wer ein Buch ausgiebig benutzen wollte, mußte es daher schon wohl oder übel besitzen. Die Studenten haben sich ihre Bücher meist selbst abgeschrieben, häufig wurden sie ihnen von ihren Lehrern in die Feder diktiert. Daher auch die vielen Abkürzungen, die das Lesen der Handschriften des 14. und 15. Jahrhunderts so oft erschweren. Wer als Privatmann eine ansehnliche Bibliothek zusammenbringen wollte, mußte über recht reichliche Geldmittel verfügen. Es gab aber auch Männer von eisernem Fleiße, die sich allein eine ganze große Bibliothek zusammenschrieben. So der 1514 in Nürnberg verstorbene humanistisch gebildete Arzt Dr. med. Hartmann Schedel, der von früher Jugend an bis in sein hohes Alter unabläſſig dem Abschreiben und dem Anfertigen von Excerpten oblag und dessen in München verwahrter Nachlaß einen „wahrhaft staunenswerten Umfang" besitzt.

Durch den Buchdruck, der die Bücher verbilligte und dadurch massenhaft ins Volk brachte, wurde dergleichen nun in Zukunft unnötig gemacht. Wissenschaftliche Bücher blieben zwar zunächst immer noch recht teuer, aber doch nicht so, daß sich nicht auch der minder bemittelte Gelehrte nach und nach einen größeren Schatz von Büchern, deren er bedurfte, hätte sammeln können. Seine Bücher waren jetzt seine Liebe und sein Stolz. Wir dürfen sagen, erst jetzt wurde es gemütlich im Studierzimmer des Gelehrten. Es ist selbstverständlich, daß jetzt auch viel mehr Bücher produziert wurden, denn man hatte Aussicht, sie verbreitet zu sehen. Im Mittelalter war diese Gunst nur mehr den Schriften der bedeutenderen Männer zu teil geworden. Jetzt kam auch der kleine Mann, der wissenschaftliche Anfänger zu Worte. Auch daß man der Bücher jetzt sehr viel schneller habhaft wurde, daß sich daher ein neuer Gedanke sehr viel schneller verbreiten konnte, war eine Folge der großartigen Erfindung. Gerade dies wurde von ungeheurer Wichtigkeit für die Zeit des Humanismus und der Reformation.

Der Deutsche ist, verglichen mit anderen Nationen, im allgemeinen langsamen Geistes, er hängt mit Liebe am Alten und pflegt Neuerungen abhold zu sein. Das Schwergewicht dieses konservativen Grundzugs im deutschen Nationalcharakter ist einer spontanen, für andere Völker tonangebenden kulturellen Bewegung in Deutschland immer sehr im Wege gewesen. Nicht als ob es uns an geistreichen Köpfen, großen Künstlern und Gelehrten, genialen Erfindern gefehlt hätte. Allein vorangegangen sind wir nur selten. Es ist höchst charakteristisch, daß dies vor allem da der Fall gewesen ist, wo das tiefinnerste Gemütsleben in Frage kommt, also in Religion und Musik. Sonst pflegen wir immer abzuwarten,

Abb. 55. Gelehrter der Renaissance-Zeit. Holzschnitt aus: B. Corio, Mailänder Chronik. Mailand, A. Minutiano, 1503. Nagler, Monogr. I, 921.

was andere Nationen Neues bringen, und es dauert dann gewöhnlich immer noch eine geraume Zeit, bis wir uns entschließen, dies Neue nun auch unsererseits — und dann gewöhnlich besser — mitzumachen.

Wenn irgendwann, so gilt dies Zurückbleiben des deutschen Geistes für das Mittelalter. Kirchenreform (die cluniacensische), Scholastik, Ritterwesen, Minnegesang, Gotik, Geldwirtschaft, alles hat der Deutsche von auswärts überkommen, um es dann freilich seinem eigenen starken Gemüt entsprechend meist in bedeutender, jedenfalls in häufig sehr eigenartiger Weise neu zu gestalten. Am wenigsten vielleicht auf dem Gebiete, das uns hier beschäftigt. Die deutschen Universitäten, die deutsche Wissenschaft sind keine originellen Schöpfungen, sie sind mit geringen Abweichungen ein Abklatsch des Fremden. Und auch der deutsche Gelehrte will uns im Mittelalter noch nicht recht greifbar erscheinen. Es haftet ihm noch zu viel von dem Internationalen an, das die ganze Wissenschaft des Mittelalters charakterisiert.

Erst in den folgenden Jahrhunderten wird das anders. Die Einleitung dazu bietet die Aufnahme der italienischen Renaissance. Man versteht darunter bekanntlich die Wiederbelebung des klassischen Altertums insbesondere in der Kunst und in der Litteratur. Soweit diese Bewegung auf letzterem Gebiete und zwar sowohl in der Poesie wie in der Wissenschaft zum Ausdruck kommt, nennt man sie Humanismus. Sein wesentlichstes Merkmal besteht in der erneuten eifrigen, ja begeisterten Beschäftigung mit den heidnischen — auch griechischen — Poeten und Schriftstellern, die man nachzuahmen versucht, was im Gegensatz zum Mittelalter einen neuen eleganten, dem klassischen ähnlichen lateinischen Stil zur Folge hat. Das möge zum Verständnis des Folgenden einstweilen genügen.

Mehr als hundert Jahre hat es gedauert, bis der Geist des Humanismus auch das gelehrte Stillleben der Deutschen mit neuen, kräftigen Impulsen zu erfüllen anfing. Gewiß wird man im Einzelnen für diese abermalige Verspätung noch besondere wirtschaftliche und politische Gründe in Anschlag bringen können, vornehmlich die Armut und Verwilderung des Adels und das langsame Aufkommen eines durch Handel und Gewerbe zu Vermögen gelangenden Bürgertums, was beides das Fehlen eines kräftigen Laienelements zur Folge hatte. Der Hauptgrund bleibt doch immer jener Grundzug der Langsamkeit im deutschen Volkscharakter, der, wie jetzt Jahrzehnte, im Mittelalter fast Jahrhunderte brauchte, um sich mit einer neuen Sache zu befreunden. In diesem besonderen Falle steht Deutschland übrigens nicht allein. Auch Frankreich, auch England haben lange gezögert, bis sie dem neuen „modernen" Geist der Renaissancebewegung bei sich Einlaß gewährten.

Wie in den Jahrhunderten vor der Gründung der deutschen Universitäten, so zogen auch im späteren Mittelalter eine erkleckliche Zahl deutscher Studenten über die Alpen, um sich an italienischen Hochschulen den Studien zu widmen. Sie müssen dort entschieden gehört haben von der Begeisterung, die man den neuerweckten klassischen Autoren entgegenbrachte, von dem reinen Latein, das man nach ihrem Muster zu schreiben sich bemühte, von dem Fleiß, der auf das Erlernen einer im weiteren Abendlande noch fast gänzlich unbekannten Sprache, des Griechischen, verwandt wurde. Die meisten aber haben sich nicht darum gekümmert. Denn was sie nach Italien lockte, war die Jurisprudenz, nicht die humanistischen Bestrebungen, für die auch an den meisten italienischen Universitäten keineswegs immer durch geeignete Lehrkräfte gesorgt war. Auf die Dauer indeß konnten sich die in Italien studierenden Deutschen dem neuen Geiste nicht verschließen. Immer mehr unter ihnen fingen an, sich ihres alten, verachteten, schlechten Lateins zu schämen. Nun suchten sie die Lehre und den Umgang humanistisch gebildeter Italiener, sie begannen die so hoch gepriesenen alten Autoren selber zu studieren, sie fanden Gefallen an ihnen und bestrebten sich, es in der neuen Kunst der Eloquenz mit ihren Lehrmeistern aufzunehmen. Gewiß hat es solcher Leute weit mehr gegeben, als wir heute wissen. Denn die wenigsten haben etwas schriftliches hinterlassen, und nur von diesen pflegt doch die Litteraturgeschichte Kenntnis zu nehmen. Als einen der bedeutendsten Vertreter dieses Frühhumanismus in Deutschland wollen wir hier nur den Domherrn und Dr. jur. Albrecht von Eyb (1420—1475) nennen, dessen Bild unsern Lesern nebenstehend vor Augen geführt ist. Schon einer etwas späteren Zeit gehört Rudolf Agricola (1443—1485) an, trotz seines kurzen Lebens einer der einflußreichsten und gefeiertsten älteren Humanisten. Er hätte nach des Erasmus schmeichelhaftem Urteil in Italien der erste sein können, zog es aber vor in Deutschland zu bleiben.

Neben den von Deutschen in Italien geholten Anregungen fehlte es nun auch nicht an solchen, die von italienischen Humanisten selbst ausgingen, die längere oder kürzere Zeit in Deutschland zubrachten. Von besonderer Bedeutung sind nach dieser Richtung hin die großen Kirchenversammlungen, das Konstanzer und mehr noch das Baseler Konzil gewesen. Wie sie überhaupt die abendländischen Nationen einander näher brachten, so ließen sie die Deutschen auch einen tieferen Einblick thun in die überlegene Bildung der Italiener. Und wenn ein Poggio und andere enthusiastische Verehrer des Altertums die deut-

Abb. 56. Albrecht von Eyb. Holzschnitt von H. Burgkmair. Titelbild zu: Eyb, Spiegel der Sitten. Augsburg, Othmar, 1511.

schen Klöster nach alten Klassikerhandschriften — nicht ohne erheblichen Erfolg — durchstöberten, so mußte doch auch den in Indolenz versunkenen Klosterinsassen eine Ahnung davon aufgehen, daß hier Schätze gehoben wurden, die einmal von Wert gewesen und wohl wieder einmal von Nutzen werden könnten.

Am meisten waren es Fürsten und hohe Geistliche, denen die italienischen Humanisten, gewöhnlich mit irgend einem praktischen Auftrage, als Räte oder Gesandte näher traten. Eine tiefere Teilnahme an der Pflege der neuen Bildung zeigten aber nur wenige unter den deutschen Großen, sehr unähnlich den italienischen. Auch die Kaiser nicht, denn daß einige von ihnen, wie Karl IV. und Sigismund, gelegentlich einem humanistischen Schriftsteller sich gnädig erwiesen, auch wohl hier und da Belehrung von ihm annahmen, hatte keine ernsthaftere Bedeutung, wenn es auch natürlich nicht ganz ohne Einfluß blieb. Selbst bei Kaiser Maximilian I., dem von Dichtern und Gelehrten überschwänglich gelobten, trat der Sinn für die spezifisch humanistische Litteratur hinter den vielen anderen Interessen, in denen der lebhafte Geist des Kaisers sich zersplitterte, erheblich zurück. Dennoch hat ihm der Humanismus, insonderheit in Wien, viel zu verdanken. Maximilian umgab sich mit Gelehrten und Dichtern, deren er so manchen zum poëta laureatus krönte; er ließ sich gern in humanistischen Festspielen feiern und gefiel sich, wie Teuerdank und zum Teil auch der Weißkunig zeigen, im Ausspinnen lehrhaft zugestutzter allegorischer Dichtungen. Das tiefstgehende Interesse hatte er für mathematische und technische Fragen und was damals als Wissenschaft davon gelten konnte, namentlich für alles, was zum Kriegsfach gehörte; außerdem aber auch für Geographie und für die Geschichte, insbesondere die seines Hauses. Es waren vielleicht die ersten wissenschaftlichen Reisen, die, diesen Zwecken zu dienen, in seinem Auftrag von deutschen Gelehrten, Männern wie Stabius, Suntheim, auch Celtis ausgeführt wurden. Seine hohe Achtung vor den Gelehrten überhaupt beweist sein Ausspruch, „sie seien es, die da regieren und nicht unterthan sein sollten, und denen man die meiste Ehre schuldig wäre, weil Gott und die Natur sie anderen vorgezogen."

Unter den anderen deutschen Fürsten gab es, vielleicht den einzigen Erzbischof Albrecht von Mainz ausgenommen, keinen einzigen, der das Bedürfnis empfand, so etwas wie einen Musenhof zu gründen. Gewiß haben manche wie Eberhard von Württemberg, Kurfürst Philipp von der Pfalz, Kurfürst Friedrich der Weise, Herzog Georg von Sachsen, Joachim I. von Brandenburg sich um das gelehrte Wesen in Deutschland wohlverdient gemacht. Nicht nur durch die Gründung von Universitäten, sondern auch, indem sie sich entschieden auf die Seite des Humanismus stellten und eine Verbesserung des Studiums an den alten wie neuen Hochschulen beförderten. Enthusiasmus für die neue Bildung war es aber nur selten, was sie dazu trieb. Soweit es nicht aus Ehrgeiz geschah, thaten sie es als einsichtige und gute Landesväter, die neben anderen Pflichten auch die Sorge für den Unterricht innerhalb ihres Landes auf sich nahmen. Doch dürfte namentlich dem Herzog Georg, der selber studiert hatte und fertig lateinisch schrieb und sprach, wie wohl auch dem Kurfürsten Joachim ein tieferes Interesse für wissenschaftliche Fragen nicht abzusprechen sein. Von den meisten der deutschen Fürsten aber galt das bittere Wort des Italieners Aeneas Sylvius, daß sie Pferde und Hunde lieber hätten als Dichter. Und so ist es ja noch lange geblieben. Unter allen italienischen Humanisten hat übrigens der eben genannte, der spätere Papst Pius II., wegen seines langen Aufenthaltes in Deutschland wohl die größten Verdienste um die Ausbreitung des Humanismus in unserm Vaterlande, wenn er auch selbst ob seiner so oft vergeblichen Bemühungen, den „Barbaren" den Sinn für die Schönheit der Alten und für die Eleganz der Sprache der Modernen zu öffnen, schier verzweifeln wollte.

Nach und nach gewann die neue Richtung aber auch auf den Unterricht Einfluß. An den Universitäten wurden schon um die Mitte des 15. Jahrhunderts humanistische Vorlesungen gehalten; d. h. es wurden altklassische Dichter, Virgil, Juvenal, Horaz u. s. w. gelesen und erörtert. Peter Luder in Heidelberg, Georg Peurbach in Wien,

Abb. 57. Kaiser Maximilian. Kpfr. von Lucas van Leyden 1520. München, Kupferstichkabinet. B. 172.

Abb. 58. Porträt des Humanisten Zasius (1461—1535). Kpfr. von de Bry.

letzterer freilich berühmter als Mathematiker und Astronom, sind darin die ersten gewesen. Doch waren es zunächst die in der 2. Hälfte des 15. Jahrhunderts neugegründeten Hochschulen, die durch Errichtung von Lehrstühlen für Poesie und Eloquenz dem neuen Geiste Rechnung trugen. So Basel und Freiburg i. B. in den 70er, Tübingen und Ingolstadt in den 90er Jahren. Schließlich blieben aber auch die alten Universitäten, Wien, Erfurt, Leipzig, selbst das stets als die Hochburg des Obskurantismus gegescholtene Köln nicht aus.

Von der Gründung eines oder mehrerer Lehrstühle für die humanistische Litteratur war es aber noch ein weiter Schritt bis zu einer wirklichen Reform des Universitätsstudiums. An diese ist man erst um die Wende des 2. Jahrzehnts des 16. Jahrhunderts herangegangen. Regelten doch noch die beiden zu Beginn des 16. Jahrhunderts neugegründeten Universitäten Wittenberg (1502) und Frankfurt a./O. (1506) den akademischen Unterricht der Artistenfakultät noch wesentlich im alten scholastischen Geiste. Und erst recht bewegten sich die oberen Fakultäten noch auf lange hinaus durchaus in den ausgefahrenen Geleisen. Ein Einzelner konnte da nicht viel machen, wenn auch z. B. Zasius in Freiburg wenigstens teilweise eine Befreiung des juristischen Studiums von dem Wuste der mittelalterlichen Kommentare durchzusetzen wußte. Worauf es ankam, dazu konnten allein Universitäts- oder Fakultätsbeschlüsse verhelfen. Es mußten die neuen humanistischen Kenntnisse bei den Prüfungen in der artistischen Fakultät gleichberechtigt sein mit den alten artes. Das Übergewicht der dialektischen scholastischen Methode im Unterricht mußte gebrochen werden, mit ihm die alleinige Herrschaft des Aristoteles. Zum wenigsten mußten an die Stelle der mittelalterlichen, zum Teil — wie insbesondere bei den Büchern der Physik und von der Seele — geradezu unverständlichen Übersetzungen des Philosophen und seiner weitschweifigen, abstrusen mittelalterlichen Kommentare neue gereinigte Texte, womöglich die griechischen Originale treten. Nicht weniger machte sich das Verlangen nach einem geläuterten Texte bei denjenigen alten Autoren geltend, die den Fachdisciplinen des Quadriviums zu Grunde gelegt waren. Ein Ptolemäus, Euklides u. a. sollten gewissermaßen neu auferstehen, so auch ein Hippokrates in der Medizin. Auch in letzterer Wissenschaft mußten eine Menge unnützer mittelalterlicher Kommentare verschwinden, in der Theologie aber an Stelle der Lehrbücher eines Petrus Lombardus und anderer Scholastiker die Bibel und die Kirchenväter zur Grundlage alles Studiums gemacht werden. Und wie neben das gereinigte Latein das Griechische, so sollte zum besseren Verständnis der Bibel neben die griechische nun auch die hebräische Sprache treten.

Ein sehr interessanter, aber, man kann sagen, glücklicherweise verfehlter Versuch, das Alte mit dem Neuen zu vereinigen, wurde in Wien gemacht. Hier errichtete Kaiser Maximilian 1501 eine eigene der Universität angegliederte humanistische Fakultät, das sog. Collegium poëtarum et mathematicorum, das aus vier Lehrern, zweien für Poetik und Beredsamkeit, zweien für die mathematischen Disziplinen bestehen sollte. Diese neue Poetenfakultät sollte auch das Recht haben, einen akademischen Grad zu verleihen, aber nicht den hergebrachten eines Baccalarius oder Magisters, sondern den eines poëta laureatus. Dies war eine Auszeichnung, die bis dahin nach dem Vorbilde der alten römischen Kaiser, in Deutschland wenigstens, allein die deutschen Kaiser zu verleihen in Anspruch genommen hatten. Konrad Celtis war der erste Deutsche, der 1487 zu Nürnberg von Kaiser Friedrich III. der Ehre der Dichterkrönung für würdig befunden worden war. Celtis war auch der erste Lehrer der Poesie und zugleich der erste Vorstand des Poetenkollegiums. Nach seinem Tode (1508) scheint die neue Fakultät, die immer nur sehr schwach besucht war, bald ganz eingegangen zu sein. Schuld daran war offenbar ihr geringer praktischer Nutzen. Denn der gekrönte Dichter hatte zwar das Recht, an allen Universitäten des römischen Reichs die Poesie und Eloquenz zu lehren, es gab aber dafür nur sehr wenig Lehrstühle, und diesen fehlte es gewiß nicht an Bewerbern. Die Insignien der Poetenfakultät, Kranz, Ring, Barett, Siegel, Scepter finden unsere Leser hier abgebildet.

Der Humanismus, wie er so nach und nach um sich griff, um schließlich in den beiden ersten Jahrzehnten des 16. Jahrhunderts seine höchste Blüte zu entfalten, hatte nun für das gelehrte Leben in Deutschland eine dem Historiker ganz

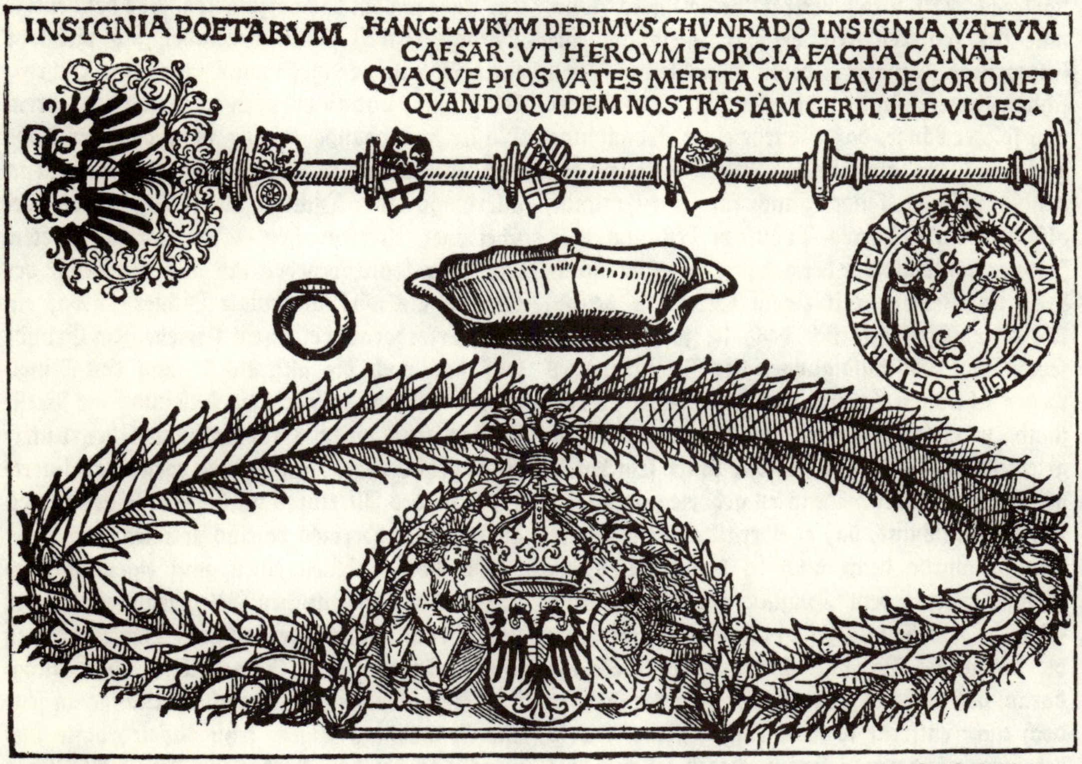

Abb. 59. Abzeichen der Poetenfakultät zu Wien. Holzschnitt von Dürer (1471—1528). Berlin, Kupferstichkabinet. Thausing p. 210.

besonders erfreuliche Wirkung zur Folge. Es treten uns endlich Individuen entgegen. Eigenartige Charaktere hat es ja gewiß auch früher gegeben. Die Magister und Doktoren des Mittelalters aber erscheinen uns unter dem Zwange des Korporationsgeistes im Vergleich mit der ausgeprägten Individualität, dem gesteigerten Gefühl der Persönlichkeit bei den Humanisten wie eine gleichartige Masse, in deren intimeres Seelenleben einen Einblick zu gewinnen uns verwehrt ist. Man möchte dafür den anscheinend zufälligen Umstand verantwortlich machen, daß uns aus dem Zeitalter des Humanismus eine so außerordentlich große Menge von Briefen erhalten ist. Allein abgesehen davon, daß uns auch aus dem Mittelalter Briefsammlungen nicht fehlen, müssen wir eben gerade die Lust zum Briefschreiben als ein Charakteristikum der neuen Bildung bezeichnen. In einer Zeit, wo auf dem Gebiete der gelehrten Kultur so viel geschah, so viele neue Anregungen und Ideen zu Tage kamen, war das Bedürfnis nach Mitteilung natürlich ein ungleich stärkeres. Der Brief vertrat die gelehrten Journale der späteren Zeit, er war „gleichsam eine litterarische Anzeige, deren Ausbleiben man schmerzlich empfand" (Steinhausen). Oft war er von solcher Länge, daß er mehr einer Abhandlung glich, die denn auch in der That nicht allein für den Empfänger, sondern auch für seine Freunde, also für ein gelehrtes Publikum bestimmt war. Immer natürlich war der gelehrte Brief lateinisch. Wer im Verkehr mit einem Gelehrten deutsch schrieb, entschuldigte sich deshalb, wie wir auch sehr häufig Entschuldigungen des Briefschreibers wegen schlechten Lateins begegnen. Wer es verstand, prunkte auch wohl manchmal mit einem griechischen Briefe oder mischte unter sein Latein griechische Brocken. Denn es gehörte zum Wesen des Humanismus, daß er überall glänzen wollte, und so wurde denn auch in den Briefen der schönen Form, dem Kunststil ein übertriebener Wert beigemessen. Dieser epideiktische Zweck und die lateinische Sprache sind nun auch Schuld daran, daß uns das Individuelle in diesen Briefen doch nicht entfernt so stark entgegentritt, wie es bei einer einfacheren Gesinnung des Briefschreibers ohne andere Absicht als die der Mitteilung und bei der Wahl der deutschen Sprache der Fall gewesen wäre. Die schönstilisierten allgemeinen Redensarten, das Konventionelle überwiegen hier wie in allen Arbeiten des Humanismus. Dadurch mußten natürlich auch Geist und Gemüt beeinflußt werden, die, so sehr sie uns dem Mittelalter gegenüber einen Vorsprung zeigen, von der Subjektivität der neueren Zeiten immer noch himmelweit entfernt sind. Eine urwüchsige, warme, echte deutsche Sprache hat unter allen Gelehrten zuerst Luther aus der Tiefe seines Herzens geschöpft. Den lateinischen Brief hat auch er nicht verdrängt, zumal er selber häufig lateinisch schrieb und die anderen Reformatoren ihm darin folgten.

Unter den gelehrten Individuen der humanistischen Zeit, soweit sie der neuen Richtung anhängen, sind deutlich zwei Typen zu unterscheiden, der ernstere, wissenschaftliche, solide Humanist, den Männer wie Agricola, Reuchlin, Erasmus u. a. repräsentieren, und der Poet, seltener der Redner (orator) genannt. Unter einem Poeten haben wir uns nicht sowohl das vorzustellen, was der heutige Sprachgebrauch damit verbindet, als vielmehr einen Mann, der die alten Dichter und Schriftsteller kennt und zu erklären weiß und nach ihrem Muster in gebundener wie in prosaischer Rede wohl zu sprechen und zu schreiben versteht. Denn allerdings das Dichten oder, sagen wir bescheidener, Versemachen — nur wenige Poeten, wie etwa Celtis, erheben sich aus der Masse der übrigen als wirklich geniale Dichter — war ein Haupterfordernis bei einem Poeten. Im Grunde war das noch die alte Vorstellung des Mittelalters, in dem ja auch die Anleitung zur Versifikation stets einen Hauptbestandteil des Unterrichts gebildet hatte, nur daß jetzt eben die geläuterte Sprache des Altertums an die Stelle des mittelalterlichen verderbten Lateins getreten war.

Die Poeten stellen einen ganz eigentümlichen Typus dar im deutschen Gelehrtenleben, wie er sich seitdem nicht wiederholt hat. Den Stürmern und Drängern, den Romantikern, den Jungdeutschen, die ja sonst manche Anklänge an jene alte Erscheinung zeigen, fehlt das lehrhafte Element, das bei den Poeten mit dem dichterischen Hand in Hand geht.

Abb. 60. Celtis überreicht dem Kurfürsten Friedrich von Sachsen die Werke der Roswitha. Holzschn. von A. Dürer aus: Roswitha, opera ed. Celtis. Nürnberg 1501. P. 277a.

Abb. 61. Gedächtnisbild des Humanisten Celtis (1459—1508). Aus dem Holzschnitt von H. Burgkmair. P. 118.

Die Poeten waren im allgemeinen Laien, verheiratet aber nur selten, weil sie den Zwang der Ehe wie überhaupt jedes Gebundensein scheuten. Was sie besonders charakterisiert, ist ein wechselvolles Wanderleben. Von Ort zu Ort, von Schule zu Schule, von Universität zu Universität treibt es sie; gewöhnlich suchen sie als Lehrer, manchmal als Korrektor in einer großen Buchdruckerei oder auch wohl als Stadtschreiber ihr Brot zu verdienen. Der Grund für diese Unstätigkeit war nicht zum kleinsten Teile ihre Armut. Ein echter Poet, Conrad Celtis, wie Hermann Buschius, Ulrich von Hutten wie Helius Eoban Hessus, steckte immer tief in Schulden, und wiederholt hat es der Opferwilligkeit humanistisch gesinnter wohlhabender Freunde bedurft, sie aus schwierigen Verhältnissen loszulösen. Die Folge ihrer Armut war eine hochgradige Charakterlosigkeit. Wie sie ihre Bitte um ein Darlehen gern in das poetische Gewand lateinischer Verse zu hüllen pflegten, so waren die meisten von ihnen nur zu sehr bereit, wiederum um Geld ihre Verse zu verkaufen. Freilich weiß man nie recht, wieviel dabei auf Rechnung ihrer Gedankenlosigkeit gesetzt und mit dieser entschuldigt werden könnte. Einem Hermann Buschius z. B. kam es nicht darauf an, in einer Ansprache an die Geistlichkeit der Kölner Diöcese einmal die Erhabenheit der doch durchaus scholastischen Theologie und ihrer Vertreter überschwänglich zu preisen, einer Streitschrift des von allen Humanisten auf das glühendste gehaßten Arnold von Tungern ein Epigramm voranzuschicken, den Reuchlin darin als Judenfreund zu beschimpfen und dann wieder den Kölner Universitäts-Professoren, welche das „Geld mehr liebten als die Poesie", die heftigsten Worte ins Gesicht zu schleudern und sich ein wenig später — was man von vornherein erwartet hätte — als einen begeisterten Anhänger des Reuchlin und Feind aller Obscuranten aufzuspielen. Andererseits fehlte es wenigstens den besseren unter den Poeten auch nicht an Dichterstolz. Conrad Celtis, der eine Lobschrift auf die Stadt Nürnberg verfaßt hatte, ohne Zweifel in der Aussicht auf klingende Belohnung, von dem Rate der reichen Stadt aber nur 8 Gulden zugeschickt erhielt, erachtete es als unter seiner Würde, eine so geringe Summe anzunehmen. Wenn er später, nach Überarbeitung seiner Schrift, 20 Gulden annahm, so geschah dies wenigstens ohne Dank. Lobgedichte auf Städte, gewöhnlich ganz konventionell gehalten, waren überhaupt bei den Poeten an der

Abb. 62. Gelehrter der Renaissancezeit (Celtis) dichtend, umgeben von klassischen Gottheiten. Unter ihm am Musenquell spielen die Musen Thalia und Clio Harfe und Laute. Holzschnitt aus: Konrad Celtis, quatuor libri amorum. Nürnberg 1502.

Tagesordnung; es gab solche, die wohl nie eine Stadt unbesungen ließen, in der sie etwas längere Zeit Aufenthalt nahmen. Gewöhnlich suchten sie sich dadurch gleich beim Einzug bei den „hochansehnlichen Konsuln (den Bürgermeistern) und dem Senate" der Stadt geneigtester Beachtung zu empfehlen. Natürlich war ihnen eine auskömmliche Stelle lieber noch als Geld.

Zu den ausgeprägtesten Charaktereigenschaften der Poeten gehörten Eitelkeit und Großmannssucht. Sie waren die Schattenseite des erhöhten Selbstgefühls des Renaissancemenschen. Was etwa zum wahren Ruhme fehlte, pflegte durch prahlerisches Aufschneiden ersetzt zu werden. Celtis erzählt uns von einer Reise nach Thule und Lappland, die er nimmermehr gemacht haben kann. Er zeigt sich aber auch von jenem edeln Ehrgeiz beseelt, dem es nur um den Ruhm bei den wahrhaft gebildeten zu thun ist. Diesen meinte er, wenn er erklärte, „der Tod sei der süßeste, der mit Ruhm bei der Nachwelt wieder auflebe." Doch hat der Ehrgeiz der deutschen Humanisten nie jene übertriebenen, fast krankhaften Formen angenommen, wie wir ihn bei den Italienern gewahr werden, nach deren Muster er sich gebildet hatte. Im Grunde führte auch er natürlich wie der italienische auf das Altertum zurück. Jedenfalls war er eine echt heidnische Gesinnung, ein Widerspruch zum Christentume.

Die Poeten haben sich aber gründlich verrechnet. Kaum einige wenige Namen von ihnen sind dem Gebildeten von heute gelegentlich einmal an die Ohren geklungen, ihre Werke sind verschollen, und nur zum Zweck litterarhistorischer Studien öffnet ein Gelehrter hier und da ihre einst so hoch gepriesenen Bücher. Der Grund dieses Vergessenseins liegt vor allem in der Geringschätzung der Volkssprache, die zu gebrauchen den Poeten für barbarisch galt. Allerdings war die deutsche Sprache noch wenig entwickelt, aber von den Poeten wurde auch nicht einmal ein Versuch gemacht, sie auszubilden. Statt dessen fühlten sie wie fast alle zeitgenössischen deutschen Humanisten sich sogar veranlaßt, ihre ehrlichen deutschen Namen ins Lateinische oder — was noch gelehrter klang — ins Griechische zu übersetzen. Aus einem Nachtigall wurde ein Luscinius, aus Walzemüller ein Hylacomylus, aus Bachmann ein Amnicola, aus Buchholz ein Fagilucus. Ein Crachenberger nannte sich Pierius Graccus, ein Johannes Jäger aus Dornheim mit auf das Entlegenste verfallender Düftelei Crotus Rubeanus (Crotus gleich Jäger oder Schütze, das Sternbild, rubus gleich Brombeere, die ja Dornen hat). Reuchlin, der selber seinen Namen nie travestierte, seine Freunde aber gewähren ließ, wenn sie ihn mit Capnion (kapnos griechisch gleich Rauch) anredeten, übersetzte doch den Namen seines Neffen Schwarzerd in das wohlklingende Melanchthon. Ein echter Poet scheute sich nicht einmal, bei den geheiligten Namen der Christenheit heidnische Vorstellungen wachzurufen. Gottvater wurde ihm ein princeps superum, Maria die Mutter des Donnerers (genitrix tonantis), Christus dementsprechend ein Jupiter. Uns klingt das wie Blasphemie, das sollte es nicht sein, es war nur derselbe Vorgang der Antikisierung aller Begriffe, wie wenn Celtis den Nürnberger Ortsheiligen St. Sebald in einer sapphischen Ode (Abb. 63) feierte oder Helius Eoban Hessus die Jungfrau Maria, die hl. Maria Magdalena, die hl. Kunigunde und andere weibliche Heilige, ja Gottvater selbst in Versen mit einander korrespondieren ließ, die nach dem Muster der von Liebesleidenschaft erfüllten Ovidischen Heroiden verfaßt und auch so benannt waren.

In denselben allgemeinen Phrasen wie zum Ruhme der Städte pflegten sich auch die Lobgedichte, Lobreden und Lobepisteln auf Fürsten, hohe Geistliche und andere hervorragende Männer zu bewegen. Mit Vorliebe schwelgten die Poeten in gegenseitiger Beweihräucherung. Die berühmtesten Schriftsteller der Vorwelt, ein Homer, ein Cicero, ein Virgil wurden von ihnen verdunkelt. Man versicherte sich gegenseitig der Unsterblichkeit und mehr noch, der Kraft, ewigen Nachruhm zu verleihen. Das nimmt oft die lustigsten Formen an. So wenn Buschius in seinem Lobgedicht auf Leipzig seinen Hexametern die Kraft zuspricht, die sächsische Großstadt unsterblich zu machen. Wer nur irgendwie zu einem oder mehreren dieser stets schreibefertigen Gesellen in einem guten Verhältnis stand, der durfte sicher sein, bei der ersten besten Gelegenheit, etwa wenn er ein Buch heraus-

Deo optimo Maximo & diuo Sebaldo Patrono: pro felicitate vrbis Noricæ per Conradum Celten: & Sebaldũm clamoſum: eius ſacre edis Curatorem: pie deuote & religioſe poſitum.

REgię ſtirpis ſoboles Sebalde
Norica multũm veneratus vrbe
Da tuam nobis memorare ſanctam
Carmine vitam.
Te ſacris votis generant parentes
Cum diu lecto ſterili vacaſſent
Teq; ſuſcepto statuere caſtam
Ducere vitam.
Natus his ſanctis puer ergo votis
Galliæ claram properas in vrbem
Artibus ſacris animumq; cultis
Moribus ornans.
Hauſeras ſanctas vbi mente leges
Patriam doctor rediens in aulam
Regiam querunt tibi mox venuſtam
Iungere ſponſam.
Vt dies lętis fuerat peracta
Nuptijs: virgo pudibunda vultu
Ducitur celſo tibi copulanda
Candida lecto.
Cũq; iam clauſum fuerat cubile
Et quięs cunctis foret alta rebus
Tu tuę ſponſę loqueris pudicę
Talia verba.
Nata de magno mea ſponſa rege
Non tuũm caſtum violabo corpus
Si placet mecũm pia vota caſtę
Iungere vitę.
Annuit virgo tenero pudore
Et deo magnas dedit ore grates
Integram ſeruans generoſa caſto
Corpore vitam.
Ipſe mox celſam genitoris aulam
Spiritusſancti monitu relinquens
Horridas ſiluas heremumq; vaſtis
Saltibus intras.
Et per exeſę caua ſaxa rupis
Stratus orabas manibus ſupinis
Feruidum ſolem: boream: niueſq;
Paſſus & imbres.
Et feras inter medius quięſcens
Sępe montanis ſaciatus herbis
Hauſeras puram liquidis fluentem
Fontibus vndam.
His vbi corpus dapibus foueres
Mentis in puram tenuatus auram
Sępe diuinos nitido videbas
Pectore vultus.
Sic tribus luſtris tacito peractis
Inde Rhomanam properas ad vrbem
Qua dei verbum monuit per orbem
Spargere paſtor.
Ipſe mandatum recipis paternũm
Et vagus terras varias pererras
Donec immenſum peregrę venires
Letus ad Iſtrum.

Hic vbi cymbis tumidus careret
Prebuit tutam pater alme nauem
Palliũm: quo tunc fueras pudico
Corpore tectus.
Moxq; per vaſtas nemoris latebras
Noricam lætus veniens in vrbem
Hanc docens ſacro monitu prophanos
Linquere cultus.
Et deum celſo reſidere celo
Prędicas: pœnas vitijs daturum
Quiq; virtuti tribuat beatę
Premia vitę.
Ille de caſta genitrice natus
Corporis mortem tulerat cruentam
Tercio phœbo rediens ſepultis
Victor ab oris.
Approbas multis tua verba ſignis
Scripta quę libro reperi fideli
Nec minus claris hodie coruſcas
Inclyte ſignis.
Cunq; iam longo fueras labore
Feſſus: & ſedes meritus beatas
Te ſenem noſtras deus imperabat
Linquere terras.
Spiritus ſanctos vbi liquit artus
Mox boues corpus tulerãnt agreſtes
Qua tuas ſanctas modo perſonamus
Carmine laudes.
Ergo iam cælo merito locatus
Hanc velis vrbem medijs arenis
Conditam: ſanctis prędcibus iuuare
Sedulus orans.
Terra fęcundo madeat liquore
Et ſalutares habeat calores
Spiceam geſtans cereris coronam
Fœnere multo.
Spumet & plenis rubicundus vuis
Bachus: & frontes tetricas relaxet
Et pecus lætis nemoroſa carpat
Paſcua pratis.
Proſperos ſeruent radioſa curſus
Aſtra: nec morbos ſubitos minentur
Paxq; per noſtras maneat perenni
Tempore terras.
Fata Germanis faueant triumphis
Dum petet thurcos gladijs cruentis
Principis noſtri iuuenile robur
Maxmiliani.
Hinc vbi noſtras animas ſolutis
Corporum vinclis deus euocabit
Confer: vt tecum capiamus alti
Gaudia celi.
Hæc vbi nobis pater impetrabis
Ante ſupremi faciem tonantis
Hic tuas ſemper cumulemus aras
Thure benigno.

Sanctus Sebaldus:

Abb. 63. Ode des Celtis auf St. Sebald, den Schutzheiligen von Nürnberg. Holzschnitt von Dürer. Einblattdruck um 1500. München, Hofbibliothek. Schreiber 1673.

DE PVNGNA STVDENTVM ERPHORDIENSIVM
cum quibusdam coniuratis nebulonibus
Eobani Hessi Francobergii
Carmen.

Abb. 64. Titelholzschnitt eines Sanges von Eobanus Hessus. Erfurter Studenten beschirmt von der Göttin Pallas im Kampf mit Handwerkern. 1506. Erfurt, Wolfg. Stürmer.

gab, über eine wahre Flut von Elegieen, Epigrammen u. s. w. in den üblichen dithyrambischen Lobtönen verfügen zu können. Denn im Lobe wie im Tadel kannte der Poet kein Maß. Nie sind so viele Superlative gebraucht worden wie in der Blütezeit des Humanismus. Wer einen korrekten lateinischen Brief schreiben konnte, war gleich doctissimus, wer ein wenig Griechisch verstand, ein Graecissimus. Wer es aber wagte, sei es auch in einer an sich ganz gleichgültigen Sache anderer Meinung zu sein, der war ein schändlicher und ruchloser Mensch, kein Wort war scharf genug, kein Hohn zu grausam, keine Verleumdung zu giftig, um damit den verhaßten Gegner zu Boden zu werfen. Man war in jener Zeit noch durchaus unfähig, die Sache von der Person zu scheiden. Daher artete jeder litterarische Streit sofort in persönliche Gehässigkeit aus. Ja es kam wohl gar zu Schlägen, oder man bot sich wenigstens solche an, wie der Poet Locher (Abb. 66) dem verdienten Straßburger Humanisten Wimpheling.

Der allgemeine, am übelsten mitgenommene Gegner der Poeten war nun aber der Gelehrte der alten Schule, der Inhaber der Lehrstühle an den Universitäten, der magister noster, der Sophist, der nebulo (Dunstmacher), wie er mit Vorliebe von ihnen genannt wurde. Daß die Alten von den Jungen scharf angegriffen wurden, war ganz in der Ordnung. Ihre scholastische Lehrmethode, ihre Bevorzugung der öden Schuldisziplinen der artes vor den „lieblich" redenden auctores, ihr Festhalten an dem von Barbarismen strotzenden mittelalterlichen Latein mußten den Spott und Hohn der humanistisch gebildeten immer von neuem entfesseln. Nur im Kampf, in einem mit Leidenschaft geführten Kampfe pflegt eine neue Richtung den Sieg zu erlangen. Aber wie es gewöhnlich zu sein pflegt, die Alten waren nicht so schlecht und die Jungen nicht so gut, wie sie sich selber hinzustellen liebten. Es gab unter den Magistern der freien Künste sowie auch unter den Doktoren der Theologie an allen Universitäten eine nicht geringe Zahl, die das Berechtigte in den humanistischen Bestrebungen durchaus anerkannten. Ein Peter Luder, wohl so ziemlich der erste aller fahrenden Poeten in Deutschland, wurde schon 1460 aus Achtung für die Kunst gratis in die Matrikel aufgenommen. Ein Jodocus Trutvetter in Erfurt, der Lehrer Luthers in der Philosophie, ein Gabriel Biel und Sumenhart in Tübingen standen mit vielen Humanisten auf dem freundschaftlichsten Fuße. Die oben erwähnten Berufungen von Lehrern der Poesie und Eloquenz sind ein weiteres Zeugnis dafür. Selbst die Kölner ließen sich humanistische Schriften widmen und ihren Werken gelegentlich Verse der Poeten vordrucken. Man muß doch immer bedenken, wie viel dazu gehört, wenigstens für ältere Leute, sich von Anschauungen und Traditionen, in denen sie groß geworden sind, loszumachen. Wer giebt heute gern das im Unterricht auf, was er selber einst in seiner Jugend gelernt hat, und sei es nur, weil er einige Anekdötchen, die ihm lieb geworden sind, auch dem heranwachsenden Geschlecht zugute kommen lassen wollte? Und wie etwa heute einem Maler der alten Schule, der von den „Modernen" mit Spott und geflissentlich zur Schau getragener Verachtung behandelt wird, die neue Richtung in der Seele zuwider sein muß, obgleich er manches Gute in ihr anerkennen möchte, so war es ganz erklärlich, daß die alten Gelehrten mit allen ihnen zu Gebote stehenden Machtmitteln sich gegen jene Neulinge sträubten, die in ihrem Unfehlbarkeitsdünkel alles auf den Kopf zu stellen schienen. Wagten diese jungen Burschen nicht, ehrwürdige Magister, ja den Rektor selbst frech zu dutzen? Die Humanisten suchten nämlich das klassische tu anstatt des im ganzen Mittelalter gebräuchlichen vos auch für Respektspersonen einzubürgern. Und war denn die neue Eloquenz wirklich so erstrebenswert? War das moderne Latein nicht eine gezierte, gekünstelte und gespreizte Sprechweise mit ungewöhnlichen Wortstellungen und gesuchten Ausdrücken, wo „der Dünkel aus jeder Zeile blickte"? Und die so hoch gepriesenen heidnischen Autoren selber? Gefielen sie sich nicht mit Vorliebe in der Ausmalung bedenklicher Liebesabenteuer, besangen sie nicht ohne Scheu allerlei unzüchtige Verhältnisse, ja selbst die greulichsten Laster? Und sah man nicht die Wirkungen dieser Lektüre auf Schritt und Tritt?

Denn in der That, wie die Stürmer und Dränger zu allen Zeiten nicht gerade die Pfade der hergebrachten guten Sitte zu wandeln pflegen, so haben auch die Poeten die Freiheit des genialen Subjekts für sich und ihresgleichen häufig mit einer Dreistigkeit in Anspruch genommen, durch die der Ernst der Studien und alle akademische Disziplin verloren zu gehen drohten. Wenn der mittelalterliche Scholar oder Magister seine Ausschweifungen im Reiche der Venus zu verbergen und zu entschuldigen suchte, trug sie der Poet offen zur Schau und rühmte sich vor aller Welt seiner libertinistischen Lebensweise. Galante Abenteuer gehörten gewissermaßen zur eleganten Latinität; wer keine erlebte, erfand sie, schon allein, um für seine Erzählungen Stoff zu haben. Es gab wenige Orte, die der Poet auf seinem rastlosen Wanderleben berührte, wo er nicht eine verlassene Thais oder vielmehr wie Celtis seine deutsche Elsula oder Barbara sitzen hatte. Und wie der Venus verstand der Poet auch dem Bacchus wacker zu opfern, eine Eigenschaft, mit der er in Deutschland freilich nicht leicht allein stehen konnte. Der humanistisch gebildete Geist kleidete aber diese Untugend fein in anmutige dichterische Formen. Celtis meinte, die Musen geständen ihm neun Kannen Wein zu, eine zehnte gäbe Apollo darein. Und Zecher gab es unter den Poeten, die selbst die Bewunderung der trinkfesten Zeitgenossen erregten. Allen aber that es jener Eobanus Hessus zuvor, der „Poetenkönig". Einst als er noch in Preußen am Hofe des Bischofs von Pomesanien lebte, forderte ihn einer seiner Mitzecher prahlerisch auf, einen Wassereimer, mit Danziger Bier gefüllt, auf einen Zug auszutrinken. Als Preis dafür ließ er einen kostbaren Ring in das Gefäß fallen. Hessus ließ sich nicht lange bitten, er leerte den Eimer rasch, ohne abzusetzen, bei der Nagelprobe fiel der Ring heraus.

Abb. 65. Bildnis des Eobanus Hessus (1488—1540.) Holzschnitt des 16. Jahrhunderts.

Abb. 66. Bildnis des Humanisten Jakob Locher genannt Philomusus (1471—1528). Holzschnitt aus dessen: Panegyrici ad Regem. Tragedia de Thurcis et Suldano. Dialogus de heresiarchis. Straßburg, Grüninger, 1497.

Hessus aber weist ihn zurück, verächtlich blickend fragt er den Herausforderer, ob er denn glaube, daß er um Lohn zu trinken gewohnt sei? Ein charakteristischer Zug, wie für den deutschen Gelehrten überhaupt, so insbesondere für den damaligen „Poeten". Manch einem freilich, wie dem Brandenburgischen Hofastronomen Johannes Cario († 1537), bereitete das allzuviele Trinken ein frühes Grab.

An dem liederlichen Lebenswandel der Poeten wäre schließlich den ehrbaren Häuptern der Universitätsgelehrsamkeit nicht soviel gelegen gewesen. Ihre Magister waren ja auch nicht besser. Was sie am meisten verdroß, waren die hochmütigen Ansprüche ihrer Gegner, als ob bei ihnen allein das Heil der Wissenschaft und wahre Genialität zu finden wären, weshalb ihnen auch von Rechtswegen der erste Platz eingeräumt werden müsse. Man höre z. B., was Peter Luder 1462 in Leipzig ans schwarze Brett anschlagen ließ. Wer auf eine anständige Ausdrucksweise Wert lege und mit den abscheulichen Barbarismen des bisherigen Kirchenlateins die Ohren der Menschen nicht mehr beleidigen wolle, der möge seine Vorlesungen über Terenz belegen, dreien davon dürfe man umsonst beiwohnen. Zum höchsten Gaudium der „Sophisten" passierte dem übereifrigen Poeten dabei der grobe grammatikalische Schnitzer, daß er interesse (beiwohnen) mit dem Accusativ anstatt mit dem Dativ konstruierte. Was war es denn auch, worauf diese hochmütigen jungen Leute ihre Anmaßung begründeten? Hatten sie je eine Prüfung bestanden? Waren sie von irgend einer ansehnlichen Fakultät zu Doktoren, Magistern oder auch nur zu Baccalarien ernannt worden? Und obgleich sie nie einen akademischen Grad erworben, wagten sie es nicht, Aufnahme ins Universitätskonzil zu verlangen? Das gehörte nun aber eben bei den Poeten zum guten Tone. Titel und Würden der Jahrhunderte lang üblichen Gelehrtenlaufbahn verachteten sie. Hatte einmal einer zufällig einen gelehrten Titel erlangt, so schämte er sich dessen, wie Hutten seines Frankfurter Baccalaureus. „Wir brauchen doctos, nicht doctores", ließ Celtis sich vernehmen, und der Gothaische Kanoniker Conrad Mutianus, das Orakel insbesondere der in Erfurt versammelten jüngeren Humanisten, riet diesen ab, sich um leere Titel zu bewerben, denn, wo „die Vernunft den Vorsitz führe, da bedürfe es keiner Doktoren". Wenn sie darin den Anschauungen selbst ernster Scholastiker nicht zu ferne standen (vgl. S. 55), so stimmt freilich schlecht dazu, daß die Poeten einer anderen äußeren Ehre, der Erwerbung des Dichterkranzes, nun wiederum ihrerseits ein übertriebenes Gewicht beilegten. Konrad Celtis rechnete nach Jahren des Lorbeers, d. h. seiner Dichterkrönung, Henricus Glareanus verlangte in Basel als gekrönter Poet vor den Magistern den Vortritt.

Viel Staub wirbelte die Sache des Johannes Rhagius Aesticampianus (Johann Rack aus Sommerfeld) auf, im Jahre 1511. Der Genannte hatte in Leipzig seit 1507, mit einem Stipendium des Herzogs und der Stadt versehen, die „Humaniora" gelehrt und, wie er selbst sagt, in drei Jahren die wichtigsten lateinischen Schriftsteller, Plinius, Livius, Plautus, Horaz, Virgil, Cicero, auch des Tacitus Germania und den Hieronymus erklärt, mit unsäglicher Mühe alle seine Zeit darauf verwendend, seine Schüler zu gebildeten und tugendhaften Menschen zu machen. Er rühmt sich, vier Stunden täglich manchmal gelesen zu haben. Wir wollen ihm das glauben. Wahrscheinlich hatte er nun aber durch die gewöhnlichen Prätensionen der Poeten die Magister aufs tiefste gekränkt. Unter anderm scheint er gesagt zu haben, ein Poet wiege zehn Magister auf, das seien nicht Magister der sieben freien Künste, sondern der sieben Todsünden u. dgl. m. Um die Zeit der öffentlichen Vorlesungen, während deren keine Privatlektionen stattfinden durften, scheint er unbeirrt gelesen zu haben. Kein Wunder, daß die Universität sich an ihm zu rächen begehrte. Man verweigerte ihm die öffentlichen Auditorien, lud ihn nicht zu den Doktor- und Magisterschmäusen ein oder setzte ihn, wenn es einmal geschah, an der Tafel zu unterst. Kurzum der Poet fühlte sich durch diese und ähnliche Chikanen gekränkt und gewiß auch in seinem Verdienste benachteiligt, so daß er 1511 zu gehen beschloß. Vorher aber entlud er seinen ganzen Groll in einer Abschiedsrede, zu der alle, die nicht sowohl ihn, den Poeten, als vielmehr die Wahrheit — die Gott selber sei — liebten und verehrten, geladen waren. Die sehr formgewandte Rede hat ihre Wirkung auf die Zuhörer gewiß nicht verfehlt. Allerdings auch auf die Magister nicht, die darin mit schnöden Worten angegriffen, des Neides und der Niedertracht geziehen, als „ohne Bildung und ohne Witz, als schmutzige und ruhmlose Seelen" geschildert wurden. Aesticampianus wurde von der Universität auf 10 Jahre relegiert, ein Beschluß, der auch trotz der Verwendung des Herzogs Georg aufrecht erhalten wurde.

Aber die Strafe blieb nicht aus, für diese nicht und nicht für ähnliche Versündigungen der Magister an dem freien Geiste des Humanismus. Verachtet und mit Schmach bedeckt leben sie fort im Gedächtnis der Menschheit als das Urbild aller Feinde des Lichts und der fortschreitenden Kultur, als die ersten und eigentlichen obscuri viri, die den Dunkelmännern oder Obscuranten aller Zeiten den Namen gegeben haben. Den Anlaß bot ein an sich für den Humanismus ziemlich gleichgültiger Streit über die Frage, ob die Bücher der Juden zu vernichten seien, weil sie Lästerungen Christi und der christlichen Kirche

Abb. 67. Titelblatt der ersten Ausgabe der zweiten Sammlung der Epistolae obscurorum virorum. Hagenau 1516.

enthielten. Zufällig aber wurde in diesen Streit einer der angesehensten und gelehrtesten Humanisten, Johannes Reuchlin, verwickelt. Da er in einem Gutachten für die bedrohte Wissenschaft der Juden eintrat, entfesselte er den Groll der Häupter der scholastischen Theologie insbesondere an der Kölner Universität, mit der die Dominikaner, an ihrer Spitze der Kölner Ketzerrichter Jakob von Hochstraten, Hand in Hand gingen. Für den auf das heftigste angegriffenen erhoben sich die Poeten ganz Deutschlands wie ein Mann und sie verstanden es, schärfere Waffen in den Kampf zu führen. Diese Waffen waren der übermütigste Spott und der grausamste Hohn, der sich in der weltberühmten Satire der „Epistolae obscurorum virorum“ Luft machte. Die witzige Idee dieser Briefe — ihr erster Teil erschien 1515 — ist, daß die Gegner selbst darin redend aufgeführt werden, daß sie in einem erbärmlichen Latein, wie es den Universitätsgelehrten von den Humanisten Schuld gegeben wurde, einem ihrer vornehmsten Parteigenossen, dem Ortuin Gratius in Köln, mit diesen Briefen ihr Herz ausschütten. Magister Curio und Philippus Schlauraff, Mammotrectus Buntemantellus und M. Conradus de Zwiccavia fühlen sich dabei ganz unter sich. Sie erscheinen als schmutzige und gierige Hungerleider, die nichts höheres kennen, als sich ihren Wanst mit Fressen und Saufen vollzuschlagen und Tagelang noch in der Erinnerung an einen guten Bissen zu schwelgen, als lüsterne und zugleich täppische Pfaffen, die den gemeinsten Weibern nachstellen, kein Ehebett achten und dann in widerlich frömmelnder Weise ihre Sünden beichten, während ihnen schon nach neuen verbotenen Früchten das Wasser im Munde zusammenläuft. Eitle und hochmütige Prahler, lächerlich stolz auf ihren Magister- und Doktortitel, wie sie sind, wissen sie uns doch beinahe etwas wie Rührung abzugewinnen, wenn sie in ihrem unbeholfenen Kauderwelsch über die bösen Poeten klagen, die sie überall verhauen, wo sie sich nur blicken lassen, und ihnen ihre Freude an den hergebrachten gelehrten Titeln, an ihren abgeschmackten Disputationen, an ihren unverständlichen und veralteten Lehrbüchern zu vergällen suchen. Schlimm genug, wenn die Betroffenen auch nur zur Hälfte dieser Schilderung glichen. Indes eine Karikatur darf man eben nicht für volle geschichtliche Wahrheit nehmen.

Mit den Epistolae obscurorum virorum erreichte der Humanismus in Deutschland seinen Höhepunkt, um dann aber von einer noch mächtigeren Bewegung abgelöst zu werden. Die Briefe entstanden in einem Kreise von Poeten, der in Erfurt sein Hauptquartier hatte, in der Schwärmerei für die humanistischen Ideale und deren hervorragendste Vertreter, einen Mutianus, Reuchlin, Erasmus, seinen geistigen Zusammenhalt fand und in ausgelassener Geselligkeit auch das Leben von der heitersten Seite zu nehmen wußte. Hier war es, wo sich die Poeten scherzweise sogar einen König erkoren, den allzeit trinkfreudigen Eobanus Hessus. Die gemeinsamen Bestrebungen und die gleichen Gegner führten überhaupt zur Pflege der Freundschaft oder wenigstens intimer geselliger Beziehungen. Es ist auch kein Zufall, daß damals eine Reihe halb gelehrter, halb poetischer Vereinigungen in Deutschland entstanden, in Heidelberg, Wien, Ingolstadt u. s. w., die sich zum Teil, wie die rheinische und die Donaugesellschaft, nicht auf einen bestimmten Ort beschränkten, sondern in einer ziemlichen Zahl von Städten, an Fürstenhöfen und in Patrizierhäusern nicht minder wie unter den eigentlichen Poeten und Schulmännern ihre Mitglieder zählten.

An dem zweiten Teile der Dunkelmännerbriefe ist auch Ulrich von Hutten hervorragend beteiligt gewesen. So nahe Beziehungen er auch zu den Poeten hatte, so war er doch schon durch seine ritterliche Abkunft und mehr noch, weil er auch gelegentlich die Feder mit dem Schwerte zu vertauschen liebte, ihnen unähnlich. Hutten ist eine ganz eigenartige Erscheinung im deutschen Gelehrtenleben. Allerdings sein Lebenslauf war der eines echten Poeten. Sein Vater hatte ihn zum Geistlichen bestimmt. Er entlief den Fesseln der Klosterschule (zu Fulda) und schweifte nun, ohne jede Unterstützung von seiner Familie, mehr aber noch durch die eigene innere Unruhe als durch die bittere Not gezwungen, wie so viele andere von Ort zu Ort, um irgendwo eine ihm zusagende Lebensstellung zu erlangen. So besuchte er mit wechselndem Geschicke eine größere Zahl von Uni-

Mich nennt den Hutten yederman.
Zů schimpff/zů ernst ich fechten kan/
Schwert/feder halt in gleicher macht
Mein gmůt gots huld halt hoher acht.
On einich ansehen schreib ich frey
Der Churtisanen buberey/
Wie sye Teütsch landt berauben gantz/
Durch jr pfrůnd tuschen vnd finantz.
Des mich verfolgt der Bapst on recht/
Vnd thůt gwalt mir edelknecht.
Das klag ich gott/vnd Carle glich.
Ich habs gewogt/Rom sich für dich

Abb. 68. Bildnis Ulrich von Huttens 1520. Holzschnitt eines unbekannten Meisters. Weller 1429.

Abb. 69. Der Triumph Reuchlin's. Holzschnitt aus: Hutten,
Reuchlin wird beim Einzug in seine Vaterstadt Pforzheim am Thore festlich empfangen. Links aus einem Fenster
getragen, dann Bücher und ein Kasten, worin die widerlegten Schlüsse und Argumente der Sophisten enthalten
Unwissenheit und Neid. Ihren Göttern folgt mit einer Kette eingeschlossen die überwundene Schaar der Magister
vom Henker gepeinigt. Eine musizierende Gruppe führt vier bekränzte Rinder

versitätsstädten, dazwischen auch Italien. Eine Zeitlang hielt er es am Hofe des humanistisch gesinnten Erzbischofs Albrecht von Mainz aus. Dann wieder frei und ungebunden, fand er später auf mehrere Jahre ein Asyl in den Burgen seines mächtigen Standesgenossen Franz von Sickingen. Nach dessen Tode stand es recht schlecht mit ihm. Er irrte von Stadt zu Stadt, niemand wollte sich seiner annehmen, bis endlich dem Schwergeprüften auf der Insel Ufenau im Züricher See von dem edeln Zwingli die letzte Heimstätte bereitet wurde. Ein schweres Leiden warf ihn zuletzt ganz darnieder, die widerwärtige Krankheit der Zeit (der morbus gallicus), der noch so mancher andere Poet zum Opfer gefallen ist. Als Hutten bald darauf starb, war alles, was er hinterließ, eine Feder.

Das letztere ist wieder sehr charakteristisch. Es gab auch Poeten, die mit ihrer Besitzlosigkeit kokettierten, wie z. B. Hermann Buschius, der sich sogar die Bücher, über die er Vorlesungen hielt, borgen mußte.

Von dem akademischen Lehrfach hat Hutten sich fast ganz fern gehalten, obgleich ihn sein Dichterkranz wohl dazu berechtigt hätte. Wie kein Gelehrter, so ist er auch nicht eigentlich ein Dichter zu nennen, trotz seiner hervorragenden poetischen Begabung namentlich für das Epigramm und für die Satire. Er war vielmehr ein Tagesschriftsteller, ein Pamphletist, ein Politiker. Und ein Patriot von echter, glühender, begeisterter Gesinnung, nicht von jenem anempfundenen Patriotismus, wie er bei den meisten Humanisten üblich war. Mag sein, daß er vielfach seine eigenen Interessen, die seiner Familie, seiner Standesgenossen zu Angelegenheiten der ganzen

Eleutherii Byzeni Triumphus Doctoris Reuchlini 1518.
wird ein Mönch gestürzt (Vertreibung der Pfaffen). Vor Reuchlins Triumphwagen wird eine Tafel mit einem Bilde sind. Dahinter auf einer Bahre trägt man die vier besiegten Gottheiten der Obscuranten: Aberglaube, Barbarei, darunter: Hochstraten, Ortuin Gratius, Tungern. Im Vordergrund liegt mit gebundenen Händen Pfefferkorn als Weihegeschenk mit. Den Wagen Reuchlin's umgeben Humanisten.

Nation zu machen suchte, es war ihm doch heiliger Ernst mit der Erstarkung und Einigung Deutschlands, die ihm nur durch die Befestigung der kaiserlichen Gewalt und die Abschüttelung des römischen Jochs erreichbar schien. Für unsere Betrachtung hier ist vor allem von Wert, daß Hutten einer der ersten Landadeligen war, der wissenschaftliche Beschäftigung und überhaupt geistige Arbeit nicht mit der Würde eines Ritters unvereinbar fand. Seine Begeisterung für die humanistische Bewegung war vielleicht größer als bei irgend einem anderen seiner Zeitgenossen. „Wenn Liebe zu den Studien den Gelehrten macht, dann weiche ich in dieser Hinsicht Keinem in Deutschland", sagte er, und bekannt ist sein Ausspruch: „O Jahrhundert, die Wissenschaften blühen, die Geister regen sich, es ist eine Lust zu leben". Und wie bei allem, was er that und schrieb, sein Herzblut floß, so suchte und fand er auch Fühlung mit der Volksseele. Gleich Luther redete er deutsch zu den Deutschen, seine ehedem lateinisch abgefaßten Dialoge übersetzte er, und so wurde er aus einem Schriftsteller für die gelehrte Welt ein Volksschriftsteller. Er weckte sein Volk mit flammenden Worten zum Streit um die religiöse und politische Freiheit. Denn die Abhängigkeit von Rom war ja ebenso sehr eine politische und wirtschaftliche wie eine religiöse. Das alles sind Dinge, die uns Hutten lieb und wert machen müssen, wenn wir auch über seinen liederlichen Lebenswandel und mehr noch über seinen Mangel an Charakter noch so sehr zu klagen haben.

Von dem unbeständigen, lebhaften und streitfertigen Völkchen der Poeten unterscheiden wir einen anderen Typus des deutschen Gelehrten in der Zeit des Humanismus. Er wird durch wohlanständige, gesetzte Männer repräsentiert, denen die Wissenschaft nicht sowohl ein Mittel des heiteren Lebensgenusses als vielmehr eine zur Förderung der Wahrheit geübte ernste Arbeit war. Wir rechnen dazu Männer wie den schon genannten Rudolf Agricola (S. 61), Jakob Wimpheling, Reuchlin, Erasmus, Zasius, sowie auch den Beschließer der humanistischen Zeit und ersten Gelehrten einer neuen, Philipp Melanchthon. Ihnen reihen wir auch die angesehenen Gönner des Humanismus an, die auf ihren Pfründen ruhenden Kanoniker, wie Conrad Mutianus in Gotha, Graf Hermann von Neuenaar in Köln und jene wohlhabenden, hochgebildeten, reichsstädtischen Bürger und Patrizier, einen Peutinger und Pirckheimer, deren Namen noch heute vor vielen anderen Humanisten einer gewissen Popularität sich erfreuen. Gewiß ist es schwer, hier eine feste Grenze zu ziehen. Auch so mancher Poet wurde in höherem Alter ein stiller Mann, wie Jakob Locher oder Eobanus Hessus; selbst Celtis sehen wir den Abend seines bewegten Lebens in verhältnismäßiger Ruhe in Wien als Universitätslehrer verbringen.

Ohne Frage haben die Poeten und die sozusagen solideren Humanisten auch mehr Berührungspunkte als Trennendes unter einander. Beiden gemeinsam ist vor allem der Gegensatz zu der mittelalterlichen Universitätswissenschaft, der sich je nach Umständen in Haß und Verachtung oder als beißende Satire aussprach. In letzterer Form war Erasmus der unerreichte Meister. Den Poeten ähnelt er insbesondere dadurch, daß er die Freiheit und Unabhängigkeit über alles liebte. Wider seinen Willen hatte man ihn in jungen Jahren zum Mönch gemacht, es gelang ihm glücklich, diese drückenden Bande zu sprengen. Nie konnte er es über sich bringen, ein Amt anzunehmen. Da er aber nicht vermögend war und noch weniger durch seine allerdings sehr fruchtbare Thätigkeit im Bücherschreiben sich ernähren konnte, so mußte er überall auf hochstehende Gönner bedacht sein, die er in feinerer Form, etwa durch Widmung eines Werkes, auch wohl anzubetteln nicht verschmähte. In der That ist er auch Zeitlebens mit Geld und Geschenken reichlich unterstützt worden. Jahresgehalte oder Pfründen befreiten ihn von aller Sorge um seinen Lebensunterhalt, und gern zeigte das eitle Männchen seinen Besuchern die kostbare Sammlung silberner und goldener Pokale, wertvoller Ringe, Uhren und anderer Ehrengaben, die sich mit der Zeit in seinem Besitz anhäuften.

Erasmus wurde 1506 an der Turiner Universität zum Doktor der Theologie ernannt. Geführt, scheint es, hat er den Titel nie, ebenso wenig wie den eines königlichen Rats, der ihm 1516 von Karl V. verliehen wurde. Sein Name allein sollte genügen. Unempfänglich aber war er für solche Huldigungen nicht, es schmeichelte ihm auch gar sehr, als Papst Paul III. ihn noch in seinem Alter zum Kardinal ernennen wollte. Reuchlin und Zasius unterschrieben sich ehrlich in ihren Briefen als legum doctores. Auch Melanchthon, dessen Studienzeit ja so recht in die Blüte des Humanismus fiel, trug kein Bedenken, Magister zu werden.

Fühlten sich die Genannten in Amt und Würden wohl, so waren sie auch sonst seßhafte Naturen. Erasmus dagegen zeigt uns wieder die ganze Ruhelosigkeit des Poeten. Er kannte das Leben im Sattel trotz Einem — das Reiten war ja damals die gewöhnliche Art zu reisen, auch bei Gelehrten, wenigstens bei denen, die ein Pferd bezahlen konnten. Der oft kränkliche Mann mag sich aber wohl so manchmal aus den überhitzten Gaststuben der primitiven Herbergen an der Landstraße nach der Stille seines Studierzimmers zurückgesehnt haben.

Erasmus, den wir trotz seiner niederländischen Abkunft, da er sehr lange in Deutschland (in Basel, zuletzt in Freiburg) lebte, getrost zu den Deutschen rechnen können, stellt in seiner Person die Krönung des deutschen Humanismus dar. Doch war er überhaupt der gefeiertste Humanist seiner Zeit, und sein Ruhm erscholl ebenso laut in England und Italien wie in Spanien und Frankreich. Seine Bedeutung liegt im wesentlichen darin, daß er ebenso groß als Gelehrter wie als Schriftsteller war. Sein Wissen war ein ungeheures. Er soll den ganzen Terenz, den ganzen Horaz auswendig gekonnt haben. Seine Sprüchwörtersammlung, die sog. Adagia, ein starker Foliant, zeugt von einer erstaunlichen

Abb. 70. Bildnis des Erasmus. Kpfr. von Dürer 1526. Berlin, Kupferstichkabinet. B. 107.

Abb. 71. Inneres eines Gelehrtenzimmers der Renaissancezeit (St. Hieronymus). Kpfr. von Dürer 1514. Berlin, Kupferstichkabinet. B. 60.

Belesenheit in den Alten. Aus der scholastischen Schule, die er noch selber in Paris durchgemacht, hatte er ferner umfassende Kenntnisse in der Theologie sich erworben, die er durch fleißiges Studium der Bibel und der Kirchenväter eifrig zu erweitern bemüht war. Aber mehr als das —, indem er auf die Lektüre der letzteren hinwies, entgegen den alten thomistischen und scotistischen Theorien, indem er durch seine Paraphrasen zum Neuen Testament ein gesundes Schriftverständnis beförderte, wurde er, wie ihn Erzbischof Albrecht von Mainz richtig nannte, ein Wiederhersteller der Theologie. Das Mittel dazu war das Studium des Griechischen, in dessen Kenntnis er von niemand übertroffen wurde. Wohl die schönste Frucht dieser Thätigkeit war seine Herausgabe des Neuen Testaments, die Luthern zur Grundlage seiner Übersetzung diente. Vor allem aber war Erasmus ein unerreichter Meister des lateinischen Stils, und dies hauptsächlich ist es, was ihm die Bewunderung seiner Zeitgenossen verschaffte. Er schrieb elegant, geistreich, witzig, äußerst lebendig, dabei in durchaus origineller Weise, wie er sich denn wiederholt gegen eine einseitige Nachahmung Cicero's energisch aussprach. Mit der Poesie hat er sich nicht viel abgegeben, in der prosaischen Darstellung wurde er für viele Stilgattungen Muster.

Erasmus erinnert in vielen Dingen an Voltaire. Nie rastende Produktivität, Vielseitigkeit und Esprit, Neigung zu Spott und Satire, nicht zuletzt auch die Schwäche des Charakters sind beiden großen Männern gemeinsam. Vor allem aber ist die centrale Stellung, die Erasmus einnahm, mit Recht derjenigen Voltaire's im 18. Jahrhundert sehr ähnlich gefunden worden. Wie Voltaire bedeutete Erasmus mehr als eine bloß litterarische Macht. Fürsten und Päpste begehrten ihn an ihre Höfe, reiche Patrizier luden ihn in ihre Häuser, Universitäten, auch Köln, bemühten sich, ihn als Lehrer zu haben. Ein Brief von ihm, auch nur eine beiläufige lobende Erwähnung aus seinem Munde war nicht nur das Ziel des Ehrgeizes aller Anhänger der neuen Bildung, sondern auch von bedeutsamer praktischer Wirkung. Eine Zeit lang war es üblich, namentlich in dem Erfurter Humanistenkreise, Wanderungen zu ihm zu unternehmen, nur um diese Sonne des Zeitalters, diesen „Gott" zu sehen und ihm seine Ehrfurcht zu bezeugen. Es war kein Wunder, daß Erasmus diese Huldigungen schließlich als selbstverständlich hinnahm und daß der verwöhnte Mann sehr erregt, ja erbittert werden konnte, wenn er von irgend einer Seite Widerspruch erfuhr. Seine Ausnahmestellung hat ihm aber in der späteren Zeit seines Lebens viele unruhige, schwere Stunden bereitet. Es galt Partei zu nehmen in dem großen religiösen Kampfe für Luther oder für den Papst. Erasmus aber glaubte immer noch ein Mann für sich zu sein, wie ihn die Dunkelmännerbriefe einst sehr glücklich charakterisiert hatten. So lief er Gefahr, sich zwischen zwei Stühle zu setzen, den Lutherischen wie den Katholiken gleich sehr verhaßt zu werden. Schließlich gaben sein Widerwille gegen jede gewaltsame Bewegung, sein Ruhebedürfnis, nicht zum kleinsten Teile seine Menschenfurcht den Ausschlag. Er blieb bei der alten Kirche und bekämpfte Luther. Eine Reformation der Kirche wollte allerdings auch er, aber nur auf friedlichem Wege. Wenn dies nur möglich gewesen wäre!

Erasmus war eine kleine, schwächliche Erscheinung von mageren Gesichtszügen. Um den feingepreßten Mund spielten Geist und Laune. Seine Gesundheit war stets eine sehr zarte, in späterem Alter wurde er von hartnäckigen Gicht- und Steinschmerzen geplagt, den verbreitetsten Krankheiten der verflossenen Jahrhunderte, von denen insbesondere auch die Gelehrten gar viel zu leiden hatten. Erasmus hatte so seine Besonderheiten, z. B. konnte er die Ofenwärme nicht vertragen. Seine Stimme war sehr leise, daher es ihm in Freiburg eine harte Aufgabe war, sich mit dem schwerhörigen Zasius zu unterhalten. Scherzhaft nannte er sich wohl selbst den Schatten eines Schattens, den ein Hauch umwerfen könne.

Äußerlich ein ganz anderer Mann, eine große, stattliche Erscheinung war des Erasmus Freund, Wilibald Pirckheimer (1470—1530), der den Typus des dem Humanismus und den Wissenschaften ergebenen reichsstädtischen Bürgers wohl am bedeutendsten darstellt. In seiner Jugend, die er am Hofe des Bischofs von Eichstädt verbrachte, war er im Waffendienst und in allen körperlichen

Abb. 72. Bildnis des Wilibald Pirckheimer. Kpfr. von Dürer 1524. Berlin, Kupferstichkabinet. B. 106.

Fertigkeiten ausgebildet worden. In seiner Autobiographie rühmt er von sich, nach echter Humanistenweise mit dem ihm auch sonst geläufigen Selbstlob nicht sparsam, daß er im Ringen, Laufen und Speerwerfen alle seine Kameraden übertroffen habe und mit Leichtigkeit über die höchsten Pferde hinweggesetzt sei. Nur ungern folgte er 1489 dem väterlichen Willen, die ihm liebgewordene rittermäßige Beschäftigung mit der Rechtswissenschaft zu vertauschen. Doch studierte er sie fast sieben Jahre lang in Italien an den Universitäten von Padua und Pavia. Daneben aber lag er, mit größerem Eifer, den humanistischen Studien ob und lernte unter anderm auch das damals von Deutschen noch wenig getriebene Griechisch. In seine Vaterstadt zurückgekehrt, heiratete er und ließ sich dann zu Ostern 1496 in den Nürnberger Rat wählen, dem er, wenn auch mit Unterbrechungen, bis zum Jahre 1523 angehörte. Als Ratsherr wurde er namentlich wegen seiner glänzenden Beredsamkeit öfters mit diplomatischen Sendungen betraut, er machte auch einmal einen Feldzug mit, gegen die Schweizer 1499, den er dann später als „deutscher Xenophon" in lateinischer Sprache und auch im Stile der Alten beschrieben hat, womit er in der deutschen Historiographie gewissermaßen einen neuen Weg wandelte. Doch scheinen ihm die öffentlichen Geschäfte nicht entfernt so lieb gewesen zu sein wie eine behagliche wissenschaftliche Muße. Mancherlei schwere Verdrießlichkeiten trugen freilich auch das ihrige dazu bei, ihm seine amtliche Stellung zu verleiden. Dachte er doch sogar eine Zeit lang daran, den juristischen Doktorgrad zu erwerben und damit überhaupt dem Rate Valet zu sagen, in dem nach einer alten, schon in der Mitte des 15. Jahrhunderts erwähnten Bestimmung kein Graduierter sitzen durfte. Offenbar fürchtete man, daß der Einfluß eines Gelehrten allzu überwiegend werden könnte.

Pirckheimer war ein sehr wohlhabender Mann. Nahrungssorgen blieben ihm Zeit seines Lebens fremd. So konnte er nach Laune auf die Befriedigung seiner gelehrten Lieblingsneigungen bedacht sein. Er sammelte antike Münzen und geschnittene Steine, allerlei Kunstgegenstände und mathematische Instrumente, kostbare Drucke und Handschriften. Pirckheimer war aber mehr als ein gelehrter Dilettant. Er besaß sehr gründliche Kenntnisse im Griechischen, die er zu verschiedenen, für die damalige Zeit recht verdienstvollen Übersetzungen griechischer Schriftsteller ins Lateinische und zum Teil auch ins Deutsche benützte. Dazwischen beschäftigten ihn historische und geographische Arbeiten. In hohem Grade fesselten ihn weiter Medizin, Botanik und Astronomie, freilich zeigte er sich auch ganz befangen im astrologischen Aberglauben. Daß er in dem Kampfe zwischen Obscuranten und Reuchlinisten auf Seite der letzteren war, ist selbstverständlich, doch hat er auch selbst mit ernsten und satirischen Schriften in den Kampf eingegriffen. Auch theologische Fragen, wie die Abendmahlslehre, drückten ihm in den späteren Jahren seines Lebens die Feder in die Hand. Man darf wohl sagen, nichts in dem weiten Reiche der damals aus den Fesseln mittelalterlicher Schulweisheit zu neuem Leben erwachenden Wissenschaft ist Pirckheimers vielseitigem, empfänglichem Geiste fremd geblieben.

Mehr aber noch als seine schriftstellerischen Leistungen sind es seine persönlichen Beziehungen zu einer großen Zahl der vorzüglichsten Humanisten, die Pirckheimer einen hervorragenden Platz in der deutschen Gelehrtengeschichte sichern. Eine Frucht derselben, sein ausgedehnter Briefwechsel, ist zum Teil noch heute erhalten und von hohem Werte. Anziehender, belebender noch wirkte der bedeutende Mann im persönlichen Umgange. Gern suchte man ihn auf, in seinem Hause, einer echten „Poetenherberge", gingen ein Conrad Celtis, ein Ulrich von Hutten, ein Melanchthon ein und aus. Wenn er nicht, trotz seiner vielgerühmten Freundlichkeit ein Mann von reizbarem und herrischem Charakter, gegen irgend jemand Groll empfand, wie gegen Eobanus Hessus, so waren alle nur voll des Lobes über die genossene Gastfreundschaft, die mehr noch als durch reichlich aufgetragene Speisen und Getränke durch die heitere, joviale Laune des Gastgebers gewürzt war. Und auch er war da, der große Unsterbliche, Pirckheimers bester Freund, Nürnbergs unvergleichlicher Maler, Albrecht Dürer. Welch geistreiche, witzige und gelehrte Gespräche mögen da so manchmal bis tief in die Nacht hinein bei fröhlich stets aufs neue gefülltem Becher die Räume des alten Patrizierhauses belebt haben. Wie der ganzen Zeit, so haftete auch den meisten jener humanistisch gebildeten Männer, zumal unserm Freundespaar Pirckheimer und Dürer, ein stark sinnlicher Zug an, der sich wohl oft in derben, frivolen Scherzen geäußert haben wird. Das Ganze aber doch, welch prächtiges Bild deutscher Renaissance, beneidenswerte deutsche Urkraft veredelt durch den Geist der nie versiegenden Schönheit der Antike. Doch, scheint es, hat Pirckheimer dem Becher ein wenig zu tapfer zugesprochen, jedenfalls wurde er schon frühzeitig von dem bösen Allerweltsleiden jener Tage — auch der Gelehrten — befallen, der Gicht, der er nach der Sitte der Zeit, die ein Lob der Narrheit, der Kahlköpfigkeit u. s. w. entstehen sah, mit heiterer Selbstironie das witzige satirische Schriftchen „laus podagrae" (Lob des Podagra) widmete. Auch ein kleines Journal, das er über seine podagrischen Anfälle führte, zeigt uns, wie der Geist des noch im rüstigsten Mannesalter stehenden Mannes von den Launen dieser Krankheit in Anspruch genommen wurde. Es zeugt zugleich von einer gewissen Gründlichkeit in seiner Lebensführung, die sich auch darin ausspricht, daß Pirckheimer zu seinen Briefen, deutschen wie lateinischen, bevor er sie abgehen ließ, fast stets ein genaues Konzept anfertigte, an dem er ebenso wie an den zum Druck bestimmten Arbeiten mächtig strich und herumfeilte.

Bezeichnend für seine Lebensweise ist die reizende idyllische Schilderung, die Pirckheimer von seinem Landaufenthalte auf einem unweit Nürnberg gelegenen Gute Neunhof in einem Briefe an seinen Freund Adelmann entworfen hat. Er schreibt darin: „Ich komme selten aus dem Schlosse, außer

Abb. 73. Süddeutsche Dorflandschaft. Kpfr. von A. Hirschvogel 1545. Berlin, Kupferstichkabinet. B. 76.

wenn ich die Kirche besuche. Und auch dann bin ich beritten, nicht weil ich die Nähe des Rotenbergs (eines adeligen Räubernestes) fürchtete, sondern weil ich, wie du weißt, schlecht zu Fuße bin. Doch fehlt es mir nicht an hinreichender Ergötzung. Des Morgens nach dem Gebet sehe ich mit Lust zwei Herden blökender Schafe auf die Weide eilen. Große, zottige Hunde begleiten sie, mit Stachelhalsbändern bewehrt, wegen der Wölfe. Rinderheerden folgen, zuletzt erscheint auch das borstige Geschlecht der Schweine, die durch störrisches Wesen ihren Treibern unausgesetzt zu schaffen machen. Ist dies Schauspiel vorbei, so beschäftige ich mich einen großen Teil des Tages mit dem Lesen Platonischer Schriften, bin ich doch zur Zeit so glücklich, von meinen Amtsgeschäften befreit zu sein. Dann esse ich Mittag, und nun erfreut mich bald ein Blick ins Freie, bald lese ich Geschichten (historias) oder erheitere mich sonst irgendwie, z. B. mit Musik (Pirckheimer, zu allen Dingen befähigt, konnte wie Luther vortrefflich die Laute schlagen). Auch meine nicht geringe Korrespondenz erledige ich am Nachmittag. Bisweilen besuchen mich gute Freunde, Nachbarn mit Frau und Kindern, die ich bei dem Überfluß des Landsitzes an Fleisch und Fischen prächtig zu bewirten vermag. Ist kein Besuch da, so lade ich mir wohl die Bauern zum Essen ein, namentlich an Festtagen, und unterhalte mich dann mit ihnen über den Landbau und die Natur, ja ich beköstige wohl auch einmal sämtliche Bauern des Orts mitsamt ihren Weibern, mit ihren Söhnen und den jungen Dirnen. Danach nehme ich wieder die Bücher zur Hand, geistliche oder auch heidnische, mit Vorliebe aber solche, die von der Herrlichkeit der Natur und von den Sitten der Menschen handeln. So bleibe ich oft bis tief in die Nacht hinein wach. Wenn es aber klar ist, beobachte ich mit meinen astrologischen Instrumenten der Wandelsterne Lauf, denn die drei oberen leuchten jetzt hoch vom Himmel. Erst spät, aber immer ohne Abendessen, gehe ich zu Bette."

Von letzterem abgesehen, das nicht nach jedermanns Geschmack sein dürfte, giebt es etwas Köstlicheres, als dieses Stück humanistischen Gelehrten-

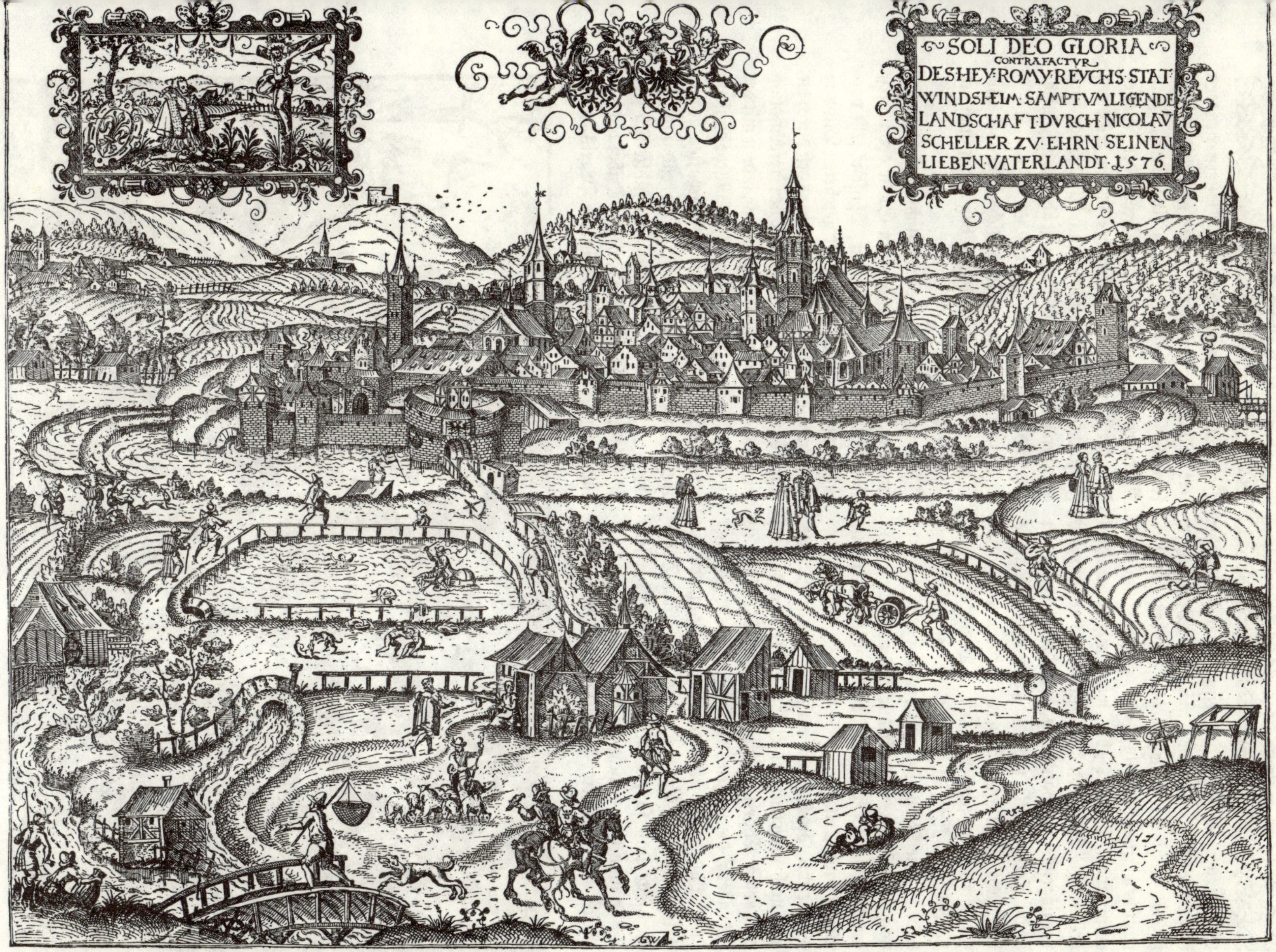

Abb 74. Kulturbild einer kleinen fränkischen Reichsstadt im 16. Jahrhundert. Windsheim in Mittelfranken 1576. Kpfr. von Georg Wechter. Wien, K. K. Kupferstichsammlung. A. 2.

lebens, um das man den feinsinnigen Epikuräer wohl noch heute beneiden möchte? Wenn einer, so hat wohl der Gelehrte den Zauber des Horazischen „beatus ille, qui procul negotiis“, empfunden. Damals aber, wie wenigen war dies beschieden! Wer von den Gelehrten hatte damals vermögende Verwandte auf dem Lande, bei denen er die Ferien hätte zubringen können! Doch es lag nicht allein am Können. Pirckheimer scheint sich nur in den schweren Zeiten, wenn die Pest in Nürnberg wütete, auf dem Lande aufgehalten zu haben. Die Nervosität unserer Zeit war damals noch unbekannt, das Bedürfnis nach Erholung im Land- und Badeleben bei den Gelehrten nur wenig entwickelt.

Ehe wir Pirckheimer verlassen, ziemt es uns, hier noch schließlich seiner Schwester zu gedenken, der edlen Charitas, Äbtissin von St. Clara in Nürnberg, die wegen ihrer Bildung und Gelehrsamkeit allgemein gefeiert war, mit Männern wie Celtis, Christoph Scheurl u.s.w. lateinische Briefe wechselte und so ein treffliches Beispiel darstellt für so manche — nicht gerade allzuviele — gelehrte und gebildete Frauen, die es damals in Deutschland, namentlich in den Klöstern, gegeben hat. Interessanter noch ist uns freilich die Ehefrau des Conrad Peutinger in Augsburg, Frau Margaretha, aus dem Geschlechte der Welser stammend, die ihren Mann bei seinen gelehrten Forschungen, insbesondere nach Inschriften und anderen Überresten der Vergangenheit, mit Rührigkeit und Sachkenntnis unterstützte. — —

Beantworten wir uns schließlich die Frage: Wie ist das gelehrte Wesen durch den Humanismus verändert worden?

Vor allem hat er es verweltlicht, äußerlich und innerlich. Äußerlich, indem an Stelle der mittelalterlichen halben und ganzen „Pfaffen“ jetzt vorzugsweise Laien als Träger der gelehrten Bildung erscheinen, ein Zustand, der allerdings erst durch die Aufhebung des Cölibats in Folge der Reformation dauernd befestigt wurde. Innerlich, indem mit der dienenden Stellung, die das scholastische System den artes, d.h. den weltlichen Wissenschaften, gegenüber der Theologie angewiesen hatte, endgültig gebrochen wurde. Die Wissenschaft fühlte sich frei, sie selbst war sich höchster Zweck. Dabei blieb es auch, wenigstens durchaus in der Praxis, wenn

Abb. 75. Ein Ritter und die neun Musen. Holzschnitt von Hans Schäufelin (1480—1540) von Bartsch dem H. S. Beham zugeschrieben. Dresden, Kupferstichkabinet. B. 166.

Abb. 76. Die neun Musen krönen Homer als Dichter. Holzschnitt aus: Hippocratis opera. Basel, A. Cratander, 1526.

auch die Reformatoren und selbst ein Humanist wie Melanchthon in der Theorie entschieden wieder die alte Auffassung verkündeten, und auch der Universitätsbetrieb die philosophischen Disciplinen nach wie vor in die untere Fakultät bannte.

Diese Freiheit der Wissenschaft ist indes nicht so zu verstehen, als ob die Gelehrten fortan voraussetzungslos, also vor allem ohne Rücksicht auf die christlichen Dogmen, sei es der alten oder der neuen Kirche, an ihre Arbeit gegangen wären. Dies trifft während der humanistischen Periode und auch in den nächsten 200 Jahren nur bei sehr wenigen zu. Allerdings Zweifler an den christlichen Glaubenssätzen, ja förmliche Gottesleugner und Atheisten hat es zu allen Zeiten gegeben. Das Mittelalter nannte sie Epikuräer, in Italien mit Vorliebe Averroisten. Da diese Leute aber sehr vorsichtig sein mußten, auch meist gar keinen Anstand nahmen, die vorgeschriebenen kirchlichen Gebräuche zu erfüllen, so ist es sehr schwer, sie nachzuweisen, und insbesondere unter den deutschen mittelalterlichen Gelehrten solche, die dieser Richtung angehörten, zu nennen. Unsere besseren Kenntnisse sind es aber wohl nicht allein, die uns bei hervorragenden Vertretern des Humanismus mehr oder weniger ausgesprochene religionsfeindliche Neigungen erkennen lassen. Die übertriebene Wertschätzung der heidnischen Autoren, vor allem das Studium der antiken Philosophie, mußte mit Notwendigkeit derartige Tendenzen im Gefolge haben. Der italienische Humanismus ist ganz durchsetzt mit irreligiösen Anschauungen. Aber auch bei den deutschen Humanisten treten sie uns gelegentlich in geradezu frivoler Weise entgegen. Peter Luder, den die Baseler Theologen wegen seiner Zweifel an der Dreieinigkeit zu verketzern suchten, spottete, er wolle, ehe er sich verbrennen lasse, sogar an die Viereinigkeit glauben. Der Kanoniker Conrad Mutianus erklärte: „Den Rock, Bart und die Vorhaut Christi verehre ich nicht; ich verehre den lebendigen Gott, der weder Rock noch Bart trägt, auch keine Vorhaut auf der Erde zurückgelassen hat." Celtis rät in einem seiner Epigramme, man „solle sich des Lebens freuen, da das, was ehedem Nichts war, doch wieder in Nichts zurückgehe", und zeigt auch sonst trotz gelegentlicher frommer Anwandlungen eine völlig antik-naturalistische Weltanschauung. Der Höllenstrafen spottet er als einer Erfindung der faulen Pfaffen; er sucht auch den Exorcismus und das Zeichen des Kreuzes lächerlich zu machen. Und Erasmus? Er war viel zu vorsichtig, wenn man will, zu feige, um sich in dieser Hinsicht Blößen zu geben. Aber wenn er z. B. an Pirckheimer schreibt, er würde keinen Anstand nehmen, die Ansichten der Arianer und Pelagianer zu teilen, wenn sie von der Kirche gebilligt würden, so glauben wir doch darin eine feine Ironie des in religiösen Dingen zum mindesten gleichgültigen Spötters erkennen zu dürfen. In seiner Lehre, daß die Erzählungen der Bibel allegorisch aufzufassen seien — wie das im Einzelnen zu verstehen sei, sagt er nicht — sieht Geiger gewiß mit Recht einen „gewaltigen Ansatz zur Kritik, eine Andeutung der menschlichen Entstehungsart der Bibel." Wahrhaft gläubige Gemüter haben für diese versteckte Freigeisterei des Erasmus auch immer eine feine

Abb. 77. Bildnis des Johannes Sleidanus (1506—1556). Kpfr. von Jacob von Heyden.

Studium der gewissermaßen neuentdeckten Alten. Wie dadurch in formaler Hinsicht die Sprache gereinigt, barbarische Lehrbücher entfernt, gute lesbare Texte, brauchbare Vokabularien und Lexika hergestellt wurden, so ging man materiell auf die Erforschung der in den alten Schriftstellern und als Denkmäler überlieferten Altertümer zurück, man erklärte die Autoren historisch, und dies kam nun auch der Bibel und dem Corpus iuris zu gute. Der mos italicus der Juristen wurde verspottet, die Theologie, an der jetzt auch Laien arbeiteten, wurde neu befruchtet, ja völlig umgestaltet (Luther). In der Philosophie wurden die lateinischen Texte des Aristoteles auf Grundlage der griechischen Originale verbessert. Doch war die Feindschaft gegen seine bisherige Alleinherrschaft so groß, daß man ihn eine Zeit lang am liebsten ganz von den Universitäten verbannt hätte. Das Studium der Philosophie wurde überhaupt von den deutschen Humanisten stark vernachlässigt. Auf ethischem

Empfindung gehabt. Luther nannte ihn geradezu einen Heiden und Epikuräer, und den Altkirchlichen blieb er auch nach seiner entschiedenen Absage an Luther immer verdächtig. Dem gegenüber hat es wenig zu sagen, daß Erasmus der Mutter Gottes in Loretto seine Seele vermachte. Die Sterbesacramente hat er in der That nicht genommen. Luther wollte auch nicht glauben, was ihm erzählt wurde, daß Erasmus unter Anrufung des Namens Jesu verschieden sei. Sein Schüler Amsdorf bemerkte, wenn auch nicht mit Bezug auf Erasmus: „O wie schwer werden die Hochgelehrten selig!"

Der Befreiung des Wissens von der Herrschaft der Theologie im allgemeinen entspricht es, daß jede Wissenschaft im besonderen die Fesseln der traditionellen Schulweisheit abzustreifen bestrebt war. Der Ausgangspunkt ist immer das

Gebiete indes ist der Humanismus von unschätzbarer Bedeutung gewesen. Er erneuerte ein antikes Ideal, indem er wissenschaftliche und sittliche Ausbildung als höchstes Ziel alles Strebens hinstellte. „Bildung ist der Weg zur Tugend, das ist die Summe aller humanistischen Lebensweisheit!" Erst im Gefolge der Reformation hat sich dann auch wieder das vom Humanismus vergessene oder wenigstens nicht genügend beachtete Christentum dazugesellt.

Der Poesie der Humanisten wurde schon wiederholt gedacht. Sie war eine lateinische und schon als solche durchaus unvolkstümlich. Daher zeigt sich auch ein auffallender Mangel an Humor im Humanismus, so sehr der Witz seine starke Seite ist. Die Beziehungen der Humanisten zur bildenden Kunst, die sie mit „antikischen" Darstellungen belebten, sind nicht immer heilsam gewesen. Frostige Allegorie gedich: es genügt, an das Verhältnis des gelehrten Pirckheimer zu Albrecht Dürer zu erinnern. Die Schuld daran lag wohl großenteils an der deutschen Pedanterie. In Italien — man denke an Raphael — wurden diese gelehrten Einflüsse ganz anders verarbeitet.

Selbstverständlich soll damit nichts gesagt sein gegen die deutsche Renaissancekunst überhaupt, von der der Humanismus durchaus zu trennen ist. Letzterer ist eine wissenschaftliche, gelehrte Bewegung. Sein bester Teil aber ist der Geist unabhängiger Forschung (Paulsen). Überall sehen wir die Kritik sich regen. So namentlich auch auf dem Felde der Geschichte. Das geschichtliche Bewußtsein wird mächtig gestärkt. Dies ist ein prinzipieller Gegensatz zum Mittelalter, wo man so unhistorisch lebte, wie man es einer so bedeutenden Kultur kaum zutrauen möchte. Im Zusammenhang damit steht die Belebung des Patriotismus. Allerdings beruht er wesentlich auf antiken und italienischen Vorbildern und hat infolgedessen häufig etwas stark Anempfundenes. Doch machte ihn der Hochmut der Fremden, insbesondere der Italiener, nicht selten zu einem warmen und echten. Man schwärmte für die deutsche Vorzeit, man klagte, daß ihre großen Männer keine geeigneten Schriftsteller gefunden hätten. Diesem Mangel suchte man jetzt abzuhelfen. Vielfach sehen wir jetzt Fürsten und Städte direkte Aufträge zur Geschichtsschreibung erteilen. Aventin, der baierische Historiograph, Sleidanus, der Geschichtsschreiber der Reformation (Abb. 77), wurden mit einem recht ansehnlichen Jahresgehalte angestellt. Das sich in seiner Bedeutung fühlende Individuum tritt namentlich in den biographischen Arbeiten zumal in der Autobiographie zu Tage. Bei allem Fortschritt freilich war der Geist der Kritik noch nicht so gestärkt, daß nicht immer noch eine Unzahl von Fabeln, falschen Etymologien u. s. w. in die Geschichtswerke Aufnahme gefunden hätte. Und auch bewußte, freche Täuschungen, wie die des gelehrten Abts Trithemius von Trittenheim, fanden noch vielfach Glauben.

Der genannte Trithemius (1462—1516), der sich selbst darin gefiel, für einen Zauberer gehalten zu werden, traf einmal auf der Reise 1506 mit einem Magister Georgius Sabellicus Faustus zusammen, welcher sich als Nekromantiker, Astrologe und magus secundus aufspielte und unter anderem damit prahlte, alle die Wunder, die von Christus erzählt würden, selber verrichten zu können. Dieser Faustus — bei anderen heißt er Johannes Faustus — war ein betrügerischer und schwindelhafter Mensch, der den Leuten das Geld aus der Tasche lockte und in zügellosen Ausschweifungen sich erging. Er hatte immer einen Hund bei sich, der niemand anders gewesen sein soll als der leibhaftige Teufel, mit dem der Schwarzkünstler ein Bündnis geschlossen. Allerlei alte Zauberstückchen von Albertus Magnus u. a. wurden auch ihm zugeschrieben und neue dazu erfunden. Dafür nahm er aber auch ein schreckliches Ende. Der Teufel erstickte ihn und drehte ihm auf der Totenbahre das Gesicht nach unten. Es blieb auch so, obgleich die Leiche mehrmals umgewendet wurde. Aus solchen Zügen entstand die Faustsage in der verschiedene Traditionen wahrzunehmen sind. Manche machten Faust zu einem Poeten und Humanisten, der sich z. B. anheischig machte, die verlorenen Komödien des Plautus und Terenz wieder herbeizuschaffen, der in Erfurt über den Homer las und seinen

Abb. 78. Faust und Mephistopheles. Kpfr. von Christoph von Sichem 1608.

HISTORIA

Von D. Johañ

Fausten/dem weitbeschreyten

Zauberer vnd Schwartzkünstler/

Wie er sich gegen dem Teuffel auff eine benandte zeit verschrieben / Was er hierzwischen für seltzame Abentheuwr gesehen / selbs angerichtet vnd getrieben / biß er endtlich seinen wol verdienten Lohn empfangen.

Mehrertheils auß seinen eygenen hinderlassenen Schrifften / allen hochtragenden / fürwitzigen vnnd Gottlosen Menschen zum schrecklichen Beyspiel / abschewlichem Exempel / vnnd trewhertziger Warnung zusammen gezogen / vnd in Druck verfertiget.

IACOBI IIII.

Seyt Gott vnderthänig / widerstehet dem Teuffel / so fleuhet er von euch.

CVM GRATIA ET PRIVILEGIO.

Gedruckt zu Franckfurt am Mayn / durch Johann Spies.

M. D. LXXXVII.

Abb. 79. Titel des ältesten Faustbuches. 1587. Frankfurt, Joh. Spies.

Zuhörern die alten Helden vom Todesschlaf erweckte, darunter den Polyphem, der nicht wieder zur Thüre hinaus will und den Studenten keinen kleinen Schrecken einjagte. Mehr noch, in der 1587 erschienenen ersten litterarischen Gestaltung der Faustsage (s. obenstehenden Titel) erscheint Faust schon nicht ganz unähnlich dem erhabenen Bilde, das wir uns nach Goethe von ihm zu machen gewohnt sind. Der Sohn eines thüringischen Bauern, studierte er zu Wittenberg Theologie und erlangte den theologischen Doktorgrad, dann aber, schon auf der Schule der „Spekulierer" genannt, nahm er sich vor, die „Elemente zu spekulieren", er wurde ein „Weltmensch", d. h. er ging zur weltlichen Gelehrsamkeit über, machte seinen Doktor Medicinä, trieb Mathematik und Astrologie und ergab sich dem Teufel. Aber immer beherrscht ihn ein titanenhafter Drang nach Wissen. „Er nahm an sich Adlersflügel und wollte alle Gründ am Himmel und Erden erforschen", sagt das Faustbuch. Der Teufel soll ihm alle seine Fragen beantworten. Er beschwört die griechische Helena, das schönste Weib der Welt; das Kind, das sie gebiert, läßt ihn die Zukunft schauen. Doch dieser unstillbare Trieb nach den Geheimnissen des Wissens ist eitle Vermessenheit. Seine Strafe trifft ihn nicht unverdient. Wir sehen darin die damalige Anschauung des Volkes über den grübelnden und naturforschenden Gelehrten ausgedrückt. Bei allem Respekt wittert es überall Teufelskünste. Der schönste Zug des Gelehrten, der nur den tiefsten Geistern eigen ist, dem Volke ist er eine Auflehnung wider Gott. Daß in dem Faustbuch insbesondere auch die Anschauungen der strengen Lutheraner zum Worte kommen, daß Faust gewissermaßen ein Gegenbild Luthers ist, der alles nur von der göttlichen Gnade erwartete, sei hier nur nebenbei erwähnt.

Der historische Faust war zweifellos durch und durch ein Charlatan und Betrüger. Ein Stück davon scheint auch einem Manne anzuhaften, der wie Faust im Verdachte stand, geheime Künste zu verstehen, jedenfalls aber eine der eigenartigsten Erscheinungen der deutschen Gelehrtengeschichte darstellt, Philippus Aureolus Theophrastus Bombastus Paracelsus von Hohenheim (1493—1541). Schon dieser von ihm selbst gewählte Name deutet auf etwas Außerordentliches hin, wofür der Mann sich auszugeben liebte. Er stammte aus einem adeligen Geschlecht, über seinen Studiengang ist nur sehr wenig Sicheres bekannt. Jedenfalls führte er ein sehr unstetes Leben, indem er fast beständig auf der Wanderschaft war und einen großen Teil namentlich des mittleren Europas bereiste. Eine Weile lebte er auch als Professor der Medizin und ordentlicher Stadtarzt in Basel, wo er seiner Feindschaft gegen die alte medizinische Schule indeß in einer Weise Luft machte, daß er kaum nach Jahresfrist wieder weiter mußte. Er verbrannte hier nämlich angeblich, wie Luther das geistliche Recht, öffentlich die Werke des Galenus und Avicenna und hielt seine Vorlesungen — der erste Professor, der sich dessen erkühnte — in deutscher Sprache. Von seiner hohen Bedeutung für die Medizin ist

Beilage 2. Bildnis des Auroleus Bombastus Paracelsus (1493—1541). Nach einem Gemälde des 16. Jahrh.
(Vergl. Peters, Der Arzt. Abb. 103.)

Beilage 1. Erscheinung vor Doktor Faust. Nach dem Kpfr. von Rembrandt 1652. München, Kupferstichkabinet.

in der Monographie über den Arzt gehandelt worden.

Paracelsus war, wie gesagt, ein fahrender Mann, ohne ständige Heimat, auch ohne Weib und Kinder, dem Trunke sehr ergeben. Daß ihm noch sonst allerlei üble Eigenschaften nachgesagt wurden, Prahlerei und Schmähsucht, Schmutz — er soll sich einmal zwei Jahre lang nicht ausgekleidet haben — Geldgier und Ignoranz, ist zum Teil wohl auf die böse Nachrede seiner Feinde zurückzuführen. Von der Buchgelehrsamkeit hielt er jedenfalls nichts. Seine Schuhriemen wüßten mehr als die Alten, sein Bart habe mehr Erfahrung als die hohen Schulen insgesamt, behauptete er von sich. In seinem Nachlasse befanden sich auch nur vier gedruckte Bücher, und diese waren keine medizinischen.

Paracelsus war Arzt, Alchimist und Theosoph. Man würde ihn heute auch noch als Spiritist bezeichnen. Seine Grundanschauungen hingen ganz mit dem aufs Mystische gerichteten Zuge des Zeitalters zusammen. Auch dafür ist die Neigung wesentlich von Italien aus gefördert worden. Die italienischen Humanisten haben nämlich nicht nur den „Gott der Philosophen", Plato selbst, wieder an das Licht gezogen, sie gingen auch darüber hinaus der verborgenen Weisheit einer Menge apokrypher Sprüche und Schriften nach, die angeblich von Orpheus, von Linus, von Pythagoras herrühren sollten; und auch wunderliche orientalische Elemente zogen sie in ihren Kreis, Zoroaster, Hermes Trismegistos, die jüdische Geheimlehre der Kabbala u. s. w. Aus diesen verschiedenartigen Bestandteilen machten sie sich einen neuen sog. Platonismus zurecht, den wir im wesentlichen als einen poetisch-phantastischen, von Dämonenglauben durchsetzten mystischen Pantheismus bezeichnen können. Den Einfluß dieser Philosophie gewahren wir schon bei dem eifrig-religiösen Agricola. Reuchlin, der Hebraist, vertiefte sich ganz in die für uns nur lächerliche Zahlenmystik der Kabbala und der angeblichen neupythagoräischen Lehre. Celtis, der sich selbst den „Vermählten der Philosophie" nennt, ging den verborgenen Kräften der Erde und des Wassers nach, ihn lockten die geheimnisvollen Samen aller Dinge und des Himmels leuchtende Feuer. Das Weltganze, den Makrokosmus dachte er sich phantasievoll belebt. Lichtstrahlen durchziehen die Räume von den himmlischen Geistern der Gestirne hinunter zu den ihnen verwandten Kräutern und Steinen, vor allem zu dem Menschen, dem Mikrokosmus. Es war jene mystisch-poetische Stimmung, deren Zauber wir noch heute, wie v. Bezold bemerkt, empfinden in dem Gesicht des Faust, wo

„Himmelskräfte auf und niedersteigen
Und sich die goldnen Eimer reichen!
Mit segenduftenden Schwingen
Vom Himmel durch die Erde dringen,
Harmonisch all das All durchklingen."

Diese mystischen Grundgedanken bestimmen nun auch die Philosophie des Paracelsus. „Lerne", schreibt er, „artem cabbalisticam, die schließt alles auf." Doch diese Kunst braucht eben nicht mühsam gelernt zu werden, denn im Schlafe offenbart Gott dem Geist des Menschen ihre Geheimnisse. Da „schwingt der siderische Leib des Menschen sich zu seinen Vätern auf. Er hält Gespräche mit dem Gestirn. Auch nach dem Tode kehrt er wieder in die Gestirne zurück, sowie der Erdenleib in den allgemeinen Schoß des Irdischen." Im Menschen sind drei Welten vereinigt, die körperliche Welt, die unsterbliche Seele und die Astralwelt, deren Repräsentant der geistige, der siderische oder Astralleib ist. Dieser kann „durch die Natur hindurchsehen wie durch Glas", die „inneren Eigenschaften der Körper und alle Heimlichkeiten seiner Mitmenschen erschauen." „Es ist möglich, daß mein Geist ohne des Leibes Hülfe durch inbrünstiges Wort allein und ohne Schwert einen andern steche oder verwunde", und „die strenge Imagination eines andern wider mich vermag mich zu töten", sind des Paracelsus eigene Worte. „Die Geschichten der Erden geschehen im Himmel, ehe dies auf Erden angegangen und beschehen ist. Als so einen träumt, das morgen geschieht, also läuft der Himmel vor und thut alle Werke, die nachher der Mensch auf Erden vollbringt." Die Gestirne werden von Geistern höherer Art bewohnt, die die Schicksale der Menschen regieren. Was in der großen Welt, im Makrokosmus, der Jupiter, das ist im Mikrokosmus, im Menschen, der Quintessenz der großen Welt, die Lunge. Ebenso ist die Sonne das Herz, die Milz Saturn, die Nieren Venus u. s. w. Nichts

Abb. 80. Die Melancholie. Kpfr. von A. Dürer. Berlin, Kupferstichkabinet. B. 74.

ist tot in der Natur, die Erde atmet, so auch die Pflanzen. Die Rinde ist ihre Haut, die Blätter sind ihre Haare, die Wurzel ihr Mund und Magen, Harz und Gummi ihre Exkremente. Nicht anders die Steine. Auch sie leben, sie essen und trinken und geben Ausleerungen von sich. In allen vier Elementen sind unendlich viele geistige Substanzen, im Wasser die Nymphen oder Undenen, in der Luft Sylvanen, in der Erde die Gnomen, im Feuer die Salamander. Sie sind wie die reinen Geister durchsichtig und unglaublich schnell, haben aber auch Körper wie die Menschen, leben, essen und sprechen wie diese; wenn sie aber sterben, bleibt keine Seele zurück, denn sie haben keine. Wir sehen, selbst Anklänge aus Märchen machen sich bemerkbar.

Abb. 81. Bildnis des Joh. Stoeffler (1452—1531). Holzschnitt eines unbekannten Meisters. Berlin, Kupferstichkabinet. P. III. p. 392, 61.

Es ist klar, daß solche und ähnliche Vorstellungen dem uralten Wahne der Astrologie gar sehr Vorschub leisten mußten. Celtis ist ganz davon beherrscht, seine gelegentlichen Ausfälle gegen die Astrologen sind nicht ernst zu nehmen. Wiederholt stellt er sich und seiner Geliebten die Nativität; als er einmal von Straßenräubern überfallen wurde, giebt er sich selber Schuld, weil er, ohne auf die ungünstige Konstellation zu achten, die Reise angetreten habe. Ebenso Pirckheimer. In seinen hinterlassenen Papieren finden sich zahlreiche Horoskope für seine Verwandten und Freunde, den Kaiser oder auch für wichtige Ereignisse, von seiner eigenen Hand entworfen. In einem Briefe aus der späteren Zeit seines Lebens behauptet er, daß er „vorlengst des Bapstes Fall, Änderung der Gesetz, Gefängniß des Königs von Frankreich, Unglück des Ungarlands sambt Aufruhr des gemeinen Volks — gemeint ist der Bauernaufstand 1525 — angezeigt und alweg gesagt, das werd der Sünd Straf sein, wie das viel Menschen von mir gehort haben, die ietz scheinperlich (d. h. offenbar) sehen, ob ich geirrt hab oder nit. Allein ist es noch nicht recht über die Venediger, wie ich gesagt hab, gangen, zweifel aber nit, ir werd am End auch nit vergessen, Gott geb, daß wir in den Reichsstädten also und ohne härtere Straf davonkommen. Was ich gesagt, hab ich nit erraten, sondern aus rechtem Grund der Astrologie gethan, wolt Gott, ich hätt es nicht so wohl erraten." Auch Melanchthon war ein überzeugter Anhänger dieser Afterwissenschaft, während Luther meinte: „Wir sind Herren über die Gestirne." Melanchthon hatte zum Lehrer in Tübingen den frommen, vielseitig gelehrten und humanistisch gebildeten Johann Stoeffler (1452—1531) gehabt, der wohl als das Haupt der damaligen Astrologen gelten dürfte (Geiger). Mit seinen Weissagungen

Abb. 82. Kalenderschreiber. Titelblatt einer Praktik aus dem Jahre 1492. München, Kupferstichkabinet. Schreiber 1930.

Praktika und Prognostika, die volkstümlichen Kalender mit Prophezeiungen auf das kommende Jahr oder gar in eine fernere Zukunft kamen damals gerade zu höchster Blüte. Sie enthielten außerdem eine Menge medizinischer Vorschriften, wie man sich beim Einnehmen einer Arznei, beim Aderlassen, beim Beginn einer Kur strenge nach der Konstellation der Gestirne, insbesondere nach den Regenten des Tages oder der Stunde — einem der sieben Planeten — und nach dem Stande der 12 Häuser des Tierkreises zu richten habe. Gewöhnlich waren ihnen sog. Aderlaßmännchen beigegeben (siehe gegenüberstehende Figur).

Leider erhielt nun auch der finstere Volksglaube an Teufel und Hexen durch die Dämonenlehre des italienischen Platonismus neue bedenkliche Nahrung. Zwei der bedeutendsten Vertreter des deutschen Humanismus, Trithemius und der Tübinger Poet und Professor Heinrich Bebel haben sich fanatisch für die Hexenverbrennung ausgesprochen.

Der Gelehrte ist eben

hatte er allerdings nicht viel Glück. Für den 25. Februar 1524 hatte er etwas ganz Außerordentliches vorausgesagt, weil nämlich von 20 Konjunktionen der Wandelsterne 16 das Wasserzeichen besitzen würden. Allgemein fürchtete man eine zweite große Sintflut, statt derselben trat aber eine große Trockenheit ein. Durch solche Irrtümer ließen sich aber nur wenige von dem einmal erfaßten Wahnglauben abbringen. Die

auch nur ein Produkt seiner Zeit, auch wenn er ihr in kühnen Hypothesen, in der Entdeckung ungeahnter Zusammenhänge, in der Aufstellung neuer Probleme weit vorauszueilen scheint. Daß der Humanismus, die glorreiche Entwickelung der Naturwissenschaften in der neueren Zeit damit beginnend, auch solche Männer hervorbrachte, dafür zeugt allein der große Name des Kopernikus (1473—1543). Noch manche minder voll klingende Namen wären

Von den Wunderlichen zamefugung der öbersten Planeten.

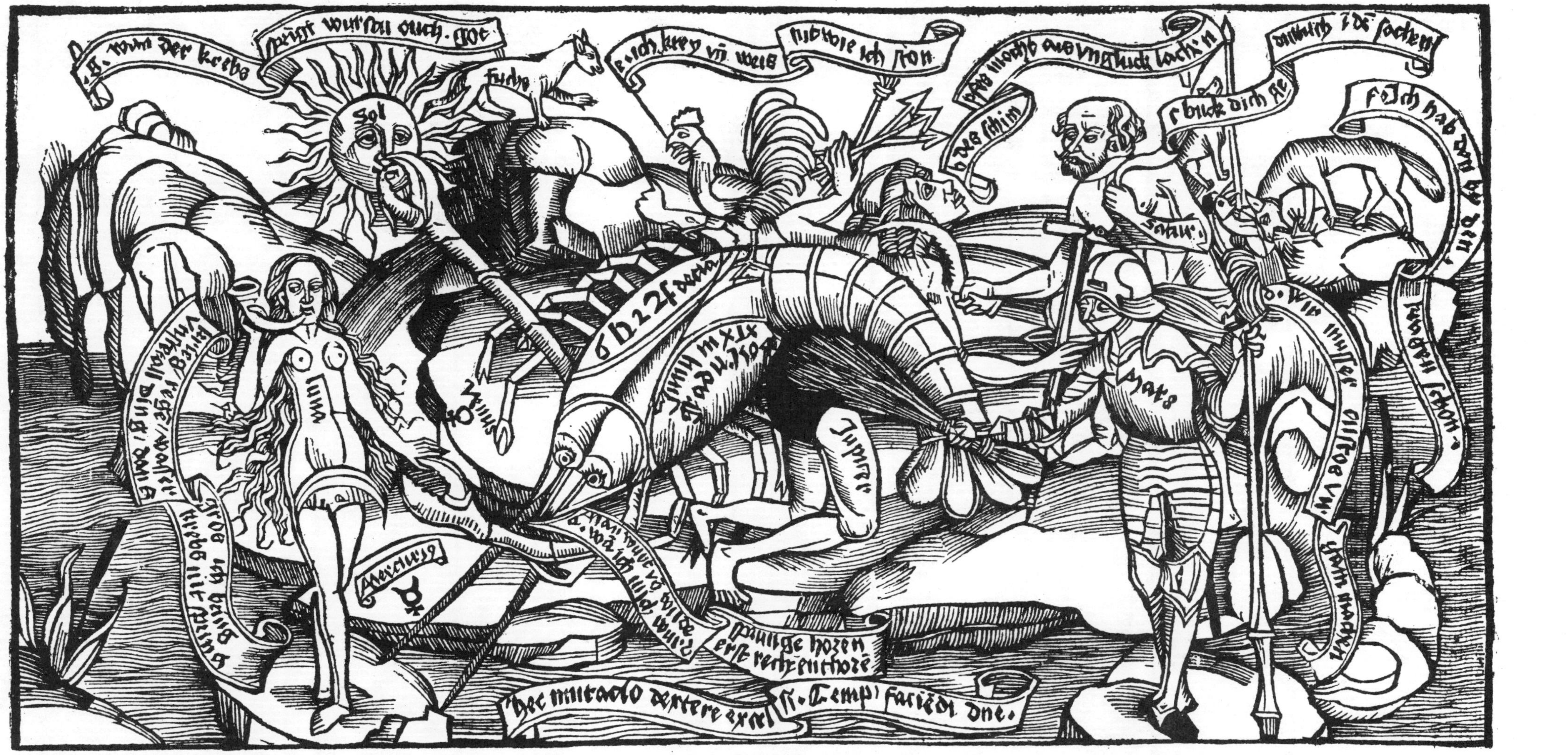

Wer dyse Pratick wil verston
Der merck dyß groß Coniunction
Da garnach all planeten Reytten
Werden den Krebs in kurtzen zeytten
Auch herschend der Mon jnn seym hawß
Was aber entlich werd dar auß
Das stell ich hin zu Gött dem herren
Der well all ding zum besten keren
Vnd vnns behütten vor den streichen
Vnd der Planeten trölich zeichen
Vor falschem Liegen des so vil
Wurt/vnd ich sorg bald zu her yl
Es wirdt ein Falsch geschlecht auff stan
Vnd ein newen Propheten han
Der wirdt ein Lerer vnd ein Merer
Vil übels/vnd ein welt verkerer
Vnd doch jn frummen schein sich zaygen
Byß er sein falscheyt recht thůt aygen

Der Krebs wirdt ettlich bald abschutten
Die lang zeit habent sanfft geritten
Vil vnstet wesen wirt er machen
Groß vngefell in kryegs sachen
In lannden die ich nit will nennen
In kurtzer zeyt wirdt man sye kennen
Dern einfluß der Krebs vnd der Mon
Mit Jrer macht handt vnderthon
Die werden leyden groß vnseld
Bewar Got was da wechßt Jm feld
Das dem nit Reg noch wassers flůt
Bring etwas das da nit sey gut
Vom andern ways ich nit zeschreiben
Was die Planeten möchten treyben
Wo Got jn nit Jr würckung nem
Vnd mit sein gnaden das furkem
Got wendt des gestirnes krafft zu zeyten
Aber nach gemeinem lauffs bedeüten

So wirdt Jupiter zu schul gefurt
Der von jm selbs het studiert
Wann er nit wer verplent so gar
Des leyd er was jm widerfar
Saturne wer hat dir erlawbt
O Mars wie bist so gar ertaubt
Das ir auff heben strefflich hend
Jr wellen eylend zu dem end
Dar zu hilfft euch der vnstet Mon
Dannz naher Krebs das schiff wil gan
Wann man spricht wer het das gemeint
Lacht mancher gleich als ob er waynde
Wer vil hat der wirdt sich beklagen
Wer nit hat wirdt den sack heym tragen
Got geb vnns frid in vnnsern tagen

Anno MCCCCC. vnd viere.
Quarto Kalendas Januarij.

S. Brant.

Beilage 3. Sebastian Brant. Praktik. Von der wunderbaren Stellung der obersten Planeten. Einblattdruck von Thomas Anselm. Pforzheim 1504. Weller 308.

zu nennen, Regiomontan, gleichfalls Astronom, Georg Agricola, der Mineraloge, Hieronymus Bock, der Botaniker. Die Verbesserung der alten Texte wurde auch hier wie in der Medizin von Bedeutung, die einseitige philologische Ausbildung beförderte mit dem Studium der antiken Naturforscher auch das Studium der Naturwissenschaften überhaupt. Dafür dauerte es aber auch noch lange, bis der gerade hier so nachteilige blinde Autoritätsglaube an die Unübertrefflichkeit der Alten gebrochen wurde.

Der Humanismus hatte nicht Zeit, sich auszuleben. Wer etwa die Zeit um 1560 herum mit den ersten Jahrzehnten des 16. Jahrhunderts vergleicht, wird immer wieder von Staunen ergriffen über die Umwandlung, die in der Zwischenzeit mit dem gelehrten Leben in Deutschland vor sich gegangen ist. Damals, in der Blüteperiode des Humanismus die gegenüber Italien freilich etwas vergröberte Tendenz, die Wissenschaft und das ganze Leben überhaupt nach den Anschauungen und Formen der antiken Geistesbildung zu gestalten — jetzt infolge der religiösen Bewegung eine Betonung der Beziehungen zu dem Übersinnlichen, auch bei den Gelehrten, daß hinter der Beschäftigung mit theologischen Fragen jene aufs Weltliche gerichtete Tendenz, wenn sie auch nicht ganz verschwinden konnte, so doch völlig in den Hintergrund gedrängt ward. Der Jugendzeit des Humanismus hat kein blühendes Mannesalter folgen sollen. Und merkwürdig, daß dies alles im Grunde das Werk eines einzigen Mannes war, der die schon lange und überall sehnsüchtig verlangte Reformation der Kirche von einer Seite her in Angriff nahm, an die früher, und am allerwenigsten von den Gelehrten, kaum gedacht worden war. Kein Wunder, daß das religiöse Gewissen, der dogmatische Eifer, mit einem Wort, die ganze Persönlichkeit Luthers mehr als ein Jahrhundert lang das Leben des deutschen Volkes in ihren Bannkreis zog und so auch den Charakter der gelehrten Welt in den Zeiten der Reformation und Gegenreformation bis etwa zur Mitte des 17. Jahrhunderts wesentlich bestimmte.

Das Verhältnis der Reformatoren zu den Humanisten hatte mancherlei Wandlungen durchgemacht. Im Anfang waren sie Verbündete gewesen

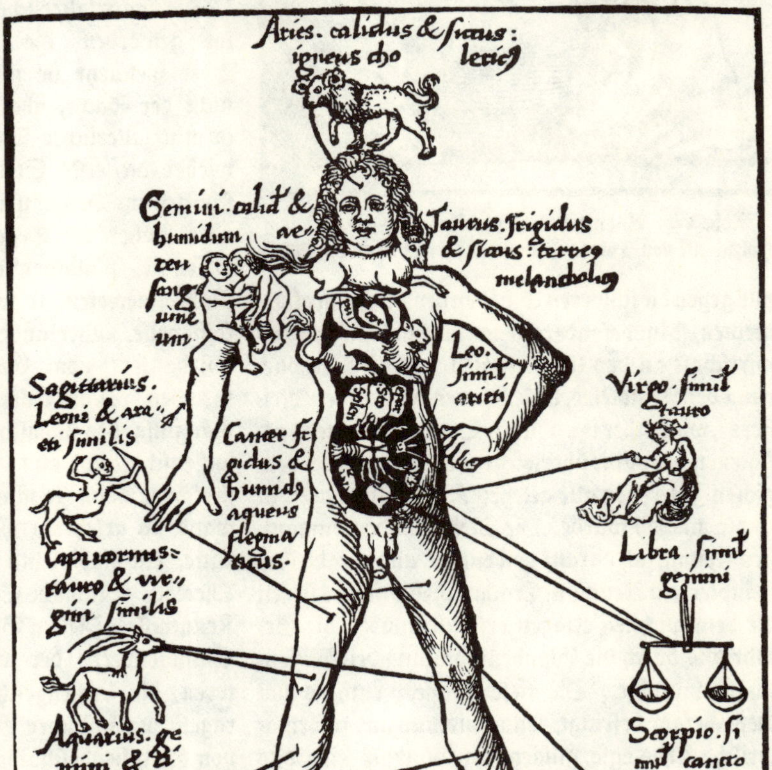

Abb. 83. Aderlaßmännchen. Darstellung des Einflusses der Tierkreisbilder auf den Menschen. Holzschnitt aus: Gregor Reisch, Margarita philosophica. Straßburg, Joh. Schott, 1504.

Abb. 84. Bildnis des Kopernikus (1473—1543). Holzschnitt von Tobias Stimmer (?) aus dem 16. Jahrh.

wie gegen die schweren Schäden der Kirche im allgemeinen, so insbesondere gegen die scholastische Mißwirtschaft an den Universitäten und die Vergötterung des Aristoteles, des „blinden heidnischen Meisters", wie Luther ihn nannte. Dann aber hatte es geschienen, als ob die überwiegende Betonung der religiösen Interessen alle gelehrte Kultur überhaupt zu nichte machen würde. Die Mehrzahl der Humanisten trennte sich darauf von Luther, und gerade ihre Häupter, ein Reuchlin, Erasmus, Mutianus ließen die beweglichsten Klagen erschallen über die Gefahr, die durch die Glaubensspaltung den Wissenschaften drohte. Die tiefe Einsicht Luthers hat diese Gefahr beseitigt. Humanismus und reformatorische Theologie gingen ein Bündniß ein, das sich in der Person von Luthers bedeutendstem Mithelfer, Melanchthon, verkörperte. Im einzelnen auf die umfassende segensreiche Thätigkeit dieses „praeceptor Germaniae" einzugehen, ist hier nicht der Ort. Zum Verständis genüge folgendes. Mit Hilfe der weltlichen Obrigkeit wurde an — zum Teil neugegründeten — Universitäten und Schulen ein neues Unterrichtssystem begründet. Die Losung wurde: Sapiens et eloquens pietas. Die Beredsamkeit gaben die alten klassischen Autoren, jetzt neben den lateinischen auch griechische, die Weisheit, das Wissen die alten artes und der wieder zu hohem Ansehen erhobene, aber verbesserte Aristoteles, die Frömmigkeit endlich wurde geklärt und gefestigt in dem erhabensten aller Studien, der Theologie, in der jetzt die Bibel und allenfalls die Kirchenväter die Weisheit des Lombardus und anderer Scholastiker verdrängt hatten. Wenn das Letztere an den katholischen Universitäten nur zum Teil der Fall war, so hatte doch auch hier auf Grund des Humanismus eine völlige Reorganisation des gelehrten Studiums stattgefunden. Die Führung hatten dabei die Jesuiten.

Die mittelalterlichen Scholastiker war man los geworden, die Scholastik war geblieben. Oder vielmehr sie nistete sich wieder ein, zwar nicht der Sache, aber doch der Form nach ganz in mittelalterlicher Weise. Die Theologie nahm wieder die erste Stelle ein unter den Wissenschaften im Bewußtsein der Menschheit. Waren aber früher die Gegensätze innerhalb derselben wesentlich philosophische, also wissenschaftlicher Natur, gewesen, so waren sie jetzt religiöse, konfessionelle. Wer anders dachte und schrieb, dem wurde jetzt vom Gegner die Seligkeit abgesprochen. Man wäre versucht, diese ganze Bethätigung des menschlichen Geistes als eine unwissenschaftliche aus dem Leben des Gelehrten zu streichen, wenn sie nicht einen so ungeheuren Aufwand an gelehrten Mitteln erforderlich gemacht hätte. Für die Polemik und Apologetik brauchte der Theologe gründliche Schrift- und kirchenhistorische Kenntnisse. Diesem Bedürfnis dienten die großen Sammelwerke der magdeburgischen Centuriatoren, die kirchengeschichtlichen Annalen hervorragender päpstlicher Gelehrten, die Sammlungen von Konzilienbeschlüssen, päpstlichen Bullen und Kirchenvätern in gewaltigen Folianten. Der große Fleiß, der auf diese zwar meist tendenziös abgefaßten, aber historisch wertvollen Arbeiten verwendet wurde, trug seine besten Früchte — nach damaliger Anschauung — in der theologischen Streitschriftenlitteratur, in der eine Sprache herrschte, die an Heftigkeit wohl nie und nirgends übertroffen worden ist. Lateinisch und deutsch wütete man gegen einander, die gröbsten Ausdrücke lieferte natürlich das liebe heimische Idiom. Leider ist auch dafür Luther gewissermaßen Vorbild geworden. Seine Gegner waren ihm Esel und Säue, stinkende Lügner, Bösewichter und Lästermäuler. Mit dem Hieronymus Emser geht er, Bezug nehmend auf sein Wappen, zu Gerichte wie mit einem Bock. Den Cochläus nannte er mit Anspielung auf seinen Namen gern Kochlöffel, Rotzlöffel, den Agricola „Grikel-Grakel", den Johann Faber, Bischof von Wien, einen „Erznarren, Eselskopf, H.... treiber" u. s. w. Die unflätigsten Grobheiten mußte sich sein „Hans Worst", der Herzog Heinrich von Braunschweig, gefallen lassen. Selbstverständlich ließ es auch die katholische Seite nicht an Verunglimpfungen fehlen, ja sie hat eigentlich damit den Anfang gemacht, in der Gegenschrift des Sylvester Prierias aus Rom gegen Luthers Thesen. Übrigens tobte bezeichnender Weise der Kampf zwischen den verschiedenen Glaubensgemeinschaften noch nicht einmal so heftig, wie er im lutherischen Lager unter den Anhängern einer und derselben Konfession um die Mitte des Jahrhunderts entbrannt war. Über nie zu ergründende, oft auf ein leeres Wortgezänke hinauslaufende dogmatische Meinungsverschiedenheiten stritten sich gelehrte und ungelehrte Geistliche in Wort und Schrift mit einem Fanatismus herum, mit einer Rechthaberei und Härte und persönlichen Gehässigkeit, daß man wohl fragen darf, wie denn diese polternden Wüteriche sich noch Christen zu nennen wagten. Der Pfarrer Blume, der dem ob seiner Hinneigung zum Calvinismus 1601 zum Tode verurteilten sächsischen Kanzler Crell den letzten seelsorgerischen Dienst zu leisten hatte, erklärte diesem: „Ein Christ mag der Herr Doktor sein. Ein rechter Christ aber muß die Widersacher nicht nur verdammen, sondern auch verfluchen." Vor groben Worten trug man damals keine Scheu. „Treibt mein Gewissen nicht ins Schweißbad", schrie Tileman Heßhusius den Pastoren, die ihn beschwichtigen wollten, entgegen, „laßt mich thun, was die göttliche Majestät mir eingebunden; in des Teufels Namen bleibt mir vom Leibe mit dem Dreck, der euch noch in der Todesstunde in die Nase stinken wird." Und doch war Heßhusius ein gutmütiger Kerl, und es waren auch viele andere Theologen, abgesehen eben von ihrem religiösen Fanatismus, sonst tugendhafte Männer.

Welche Fragen aber beschäftigten ernsthaft und in wissenschaftlicher Weise diese Männer? Amsdorf erklärte, gute Werke seien schädlich zur Seligkeit, Hofmann, sie seien wider die Vernunft, Flacius Illyricus lehrte, die Erbsünde sei die Substanz des gefallenen Menschen geworden, Heßhusius in Königsberg, nicht nur der Mensch Christus sei allmächtig, allgegenwärtig, allwissend, sondern auch seine menschliche Natur, also nicht bloß in concreto, sondern auch in abstracto. Sein Gegner Wigand machte den preußischen Pastoren den Sinn dieser Worte deutlich: konkret sei die Bratwurst, abstrakt ihre abgezogene Haut. Und von

Abb. 85. Bildnis Martin Luther's aus seiner späteren Lebenszeit. Holzschnitt von Lucas Cranach.

Abb. 86. Bildnis des Philipp Melanchthon (1497—1560). Kpfr. von Dürer 1526. Berlin, Kupferstichkabinet. B. 105.

und scheuten selbst die verwerflichsten Mittel — Entwendung von Briefschaften und geheimen Aufzeichnungen — nicht, den verdienten Mann zu Falle zu bringen. Melanchthon blieb eine scharfe Antwort nicht immer schuldig, im allgemeinen aber leistete er mehr passiven Widerstand. Seine aufrichtig fromme Gesinnung, die gelehrte Arbeit, nicht zuletzt auch der Friede seines Hauses waren sein Trost. Er selbst erzählt den rührenden Vorfall, wie ihm einst sein kleines Töchterchen Anna, das er auf den Knieen wiegte, mit ihrem Hemdchen die Thränen abgewischt habe, die er ob des theologischen Haders vergossen. Lange sehnte er sich nach dem Tode, wünschte er erlöst zu werden von der „Wut der Theologen und den Mühseligkeiten des irdischen Daseins." Und als der müde Mann im Alter von 63 Jahren die Augen geschlossen, da durfte der

solchen toten Buchstaben und Begriffen machte man die Seligkeit abhängig. War das nicht schlimmer als die mittelalterliche Scholastik?

Mit am härtesten von diesem wütenden Religionsgezänk wurde der Mann betroffen, den wir als den ersten der Mitarbeiter Luthers an seinem großen Werke zu ehren pflegen. Wegen einiger abweichender dogmatischer Ansichten zeterten die strengen Lutheraner, an ihrer Spitze der nachher selbst von der lutherischen Orthodoxie ausgestoßene Flacius Illyricus, gegen den stillen Gelehrten wie gegen einen Abgefallenen, forderten ihn wiederholt zum Widerruf auf, verlangten seine Absetzung

fanatische brandenburgische Theologe Musculus ungestraft auf einer lutherischen Synode den Antrag stellen, die Leiche jenes Ketzers auszugraben und mit den Büchern, die aus seiner verräterischen Feder geflossen, zu verbrennen.

Es war eine harte Zeit für das unabhängige Geistesleben der Gelehrten. Früher im Mittelalter hatte man sich nicht viel um das Glaubensleben des einzelnen gekümmert. Wer sich nicht mit seinen Ansichten hervordrängte, wer nicht in offenbarem Trotz kirchliche Gebräuche zu vernachlässigen schien, mochte schließlich in seinem Herzen glauben, was er wollte, und auch ein freieres

Abb. 87. Die Rhetorik des göttlichen Wortes. Allegorie. Holzschnitt von einem sächsischen Meister. Mitte des 16. Jahrhunderts. Wien, K. K. Kupferstichsammlung.

Wort blieb in der Regel ungerügt. Das beweisen die bis ans Heidnische grenzenden Sitten und Gesinnungen besonders der italienischen Humanisten. Jetzt aber, als die eine und allgemeine Kirche sich in zwei und mehr Heerlager geschieden hatte, deren jedes für seine eigene dogmatische Formel unbedingte Anerkennung verlangte, da rief man nicht nur über jede irgendwie verlautbarte andere Meinung in Glaubenssachen nach Amtsentsetzung, Kerker und wohl gar nach dem Schaffot oder Scheiterhaufen, sondern mehr noch, man inquirierte die Gewissen, man drängte sich in des „Herzens heilig stille Räume" und wachte argwöhnisch darüber, ob sich nicht in irgend einem verborgenen Winkel so etwas wie eine Spur von Abweichung von der „reinen Lehre" zu regen schiene. Wer irgend ein Amt antrat, wurde dieser Gewissensprüfung unterzogen. Geistliche, Schullehrer, die Professoren aller Fakultäten mußten sich eidlich auf den Glauben an die in der besonderen Landeskirche geltenden Bekenntnisschriften verpflichten. Auch bei der Promotion war eine solche Eidesleistung die Regel. Das untenstehende Bild zeigt uns einen ähnlichen Vorgang in katholischen Landen.

Der Herzog Julius von Braunschweig, der Stifter der Helmstädter Universität, erklärte öffentlich, „wer mit seiner Kirchenordnung nicht friedlich sei, solle weder in Academia Julia noch sonst geduldet werden. Es sei besser, dieselben führen hin zum Teufel, als daß sie seine Kirchen und Schulen veruntreuten und befleckten." Das Schlimmste war, wenn in einem Territorium mit dem Wechsel des regierenden Landesherrn auch die Konfession gewechselt wurde, wie z. B. in der Pfalz ein beständiges Schwanken zwischen dem lutherischen und calvinischen Bekenntnis stattfand.

Äußerlich bethätigte sich eine rechtgläubige Gesinnung durch fleißigen Kirchenbesuch und den öfteren Genuß des Abendmahls, bei den Katholiken durch wiederholtes Beichten. Professoren und Studenten durften sich darin nicht lässig zeigen. Absetzung, Karzer und Relegation dienten als Strafe.

Abb. 88. Eidesablegung des Rektors der Wiener Universität über die unbefleckte Empfängnis Mariä im Stephansdom zu Wien 1700. Gleichzeitiges Kupfer.

Abb. 89. Das Collegiengebäude zu Helmstädt. Kpfr. aus dem 17. Jahrh. München, Kupferstichkabinet.

Die peinliche Überwachung der Gewissen hatte natürlich bei so manchem Gelehrten die unangenehmen Erscheinungen der Heuchelei und Liebedienerei sowie ein gehässiges Denunziantentum zur Folge. Andererseits gab es in diesen der geistigen Freiheit so unholden Zeiten auch viele edle Beispiele heroischer Opferwilligkeit und furchtlosen Bekennens. Es gab wieder Märtyrer wie in den Zeiten der Christenverfolgung, bei allen Konfessionen. Die Gelehrtengeschichte weist eine stattliche Zahl von Männern auf, die für ihre Überzeugung ihr Alles einsetzten, Vaterland, Familie, Wohlstand, Freiheit und selbst das Leben. War nicht Luther selbst in seiner ersten Zeit ein echter, kühner Bekenner gewesen! Noch mehr gilt dies von seinen Gegnern, den Wiedertäufern oder „Schwarmgeistern", wie er sie nannte, einem Karlstadt, Hans Denk, Sebastian Franck. Für sie gab es nirgends eine Stätte, an der sie ungestört weilen durften. Aber dasselbe oder wenigstens ein ähnliches Los nahmen standhaft auf sich Katholiken, lutherische Orthodoxe, Philippisten und Calvinianer. Wenn in einem Lande eine andere Konfession eingeführt wurde, haben viele Universitätsprofessoren und Schulmänner, von den Geistlichen garnicht zu reden, ihr Bündel geschnürt und sind mit Weib und Kind davon gezogen, aufs Ungewisse hin, ob sie in der Fremde eine Zuflucht finden würden. Als der Herzog Ulrich 1535 die Universität Tübingen protestantisierte, verordnete er, daß sämtliche Professoren, die der „rechten, wahren evangelischen Lehre" zuwider seien, „abgeschafft" würden. Infolgedessen mußten der Kanzler, der Rektor, viele Magister und Studenten die Stadt verlassen. Ähnlich verfuhr man bei der Protestantisierung der Universität Leipzig. Selbst der sanftmütige Melanchthon verlangte, wenn die katholischen Professoren die neue Lehre nicht annehmen und nicht schweigen würden, so solle man sie aus dem Lande weisen. Melanchthons Gesinnungsgenosse wiederum, der Theologieprofessor Strigel in Jena, wurde einst mitten in der Nacht aus seinem Bette gerissen und fast unbekleidet ins Gefängnis gebracht. Der Jurist Dürfeld, weil er gesagt, auch aus Senecas Schriften könne man Theologie studieren, wurde exkommuniziert, desgleichen sein Kollege Wesenbeck, weil er eine orthodoxe

Abb. 90. Bildnis des Joh. Kepler (1551—1630). Kpfr. von J. von Heyden.

Bekenntnisschrift nicht unterzeichnen wollte. Und Flacius selbst, der überfanatische Lutheraner, dessen Werk dies alles war, wurde bald darauf selbst seines Amtes entsetzt und mußte nun mit seinem Weibe und einer Schar von Kindern in tiefstem Elend von Stadt zu Stadt herumziehen, überall verfolgt und ausgestoßen, mühselig von den dürftigen Almosen lebend, die ihm etwa ein Stadtmagistrat, einer seiner zerstreuten Anhänger oder sonst eine mitleidige Seele zuwandte. Er starb im Spital, ohne geistliche Tröstung. Der gelehrte Arzt Kaspar Peucer, ein Schwiegersohn Melanchthons, mußte seine Bemühungen um die Stärkung der calvinistischen Anschauungen in Sachsen mit zwölfjährigem harten Gefängnis büßen, trotz aller Quälereien und Bekehrungsversuche standhaft bei seiner Überzeugung verharrend. Und das Werk, das zur Einigung in allen diesen dogmatischen Streitigkeiten dienen sollte, die Konkordienformel (1577) forderte vielleicht die meisten Opfer. Wer von Geistlichen und Professoren an den lutherischen Universitäten sich nicht zu ihr — und zwar unbedingt — bekennen wollte, wurde des Landes verwiesen. Und wie das zitternde Weib und die hungrigen Kinder eines bedrängten Pfarrers diesem wohl zuriefen: „Schreib, Vater, schreib, daß du bei der Pfarre bleib", so wird im Hinblick auf seine Familie wohl auch mancher Professor nachgegeben haben. Viele aber, ein Kepler, die Philologen Janus Gruterus und Gregor Bersmann, der Geograph Philipp Apian u. a. m. legten ihre Professorenämter nieder, weil sie ihr reines Gewissen höher achteten als äußere Güter.

Hinter den theologischen Fragen traten die übrigen Wissenschaften in der Bewertung und auch Neigung der damaligen Menschen ganz entschieden zurück. Aber nur relativ, denn an und für sich hatte die Beschäftigung mit ihnen ebenso wie der Wert der auf sie gewandten Arbeit seit dem Ausgang des Mittelalters ganz gewaltig zugenommen. Da wäre zunächst das Hebräische. Wir dürfen hier nicht davon sprechen, ohne Luthers zu gedenken. Luther war zwar kein so vielseitig gebildeter und gründlich belesener Gelehrter wie Erasmus und Melanchthon, er war auch, wenn man will, überhaupt kein Gelehrter, denn für den gewaltigen Mann erscheinen alle solche Begriffe zu eng. Eine gelehrte That aber hat er vollbracht, eine solche ersten Ranges, die Bibelübersetzung. Dies Verdienst wird gewiß dadurch nicht herabgesetzt, daß er, dem es, wie er selbst gestand, zeitlebens nicht gelungen, ein „grammaticalischer und regelrechter Hebräer" zu werden, sich in ausgedehntem Maße der Hülfe gelehrter Freunde dabei bediente. Es ist eins der anziehendsten Bilder deutscher Gelehrtengeschichte, dies Zusammenarbeiten mit seinen Freunden, das uns Mathesius beschreibt, wie diese „wöchentlich etliche Stunden vor dem Abendessen in des Doctors Kloster (Luther wohnte in dem alten Augustinerkloster) zusammenkamen", ein jeglicher wohl vorbereitet mit lateinischen, griechischen, hebräischen und selbst chaldäischen Texten, und wie dann der

Abb. 91. Allegorie auf den Sieg des Christentums. Unten Darstellung einer Disputation. Titelholzschnitt von Hans Burgkmair zu: Stamler, dialogus de div. gentium religionibus. Augsburg, E. Oglin, 1508. B. 39.

Abb. 92. Gelehrter am Ausgang des 16. Jahrhunderts. Bildnis des lutherischen Theologen und Historikers Hermann Hamelmann (1525—1595). Kpfr. aus: Hamelmann, Oldenburgische Chronik 1599.

„Herr Doctor" bei den gelehrten Herren — auch jüdische Rabbiner fehlten nicht — „die Stimm herum gehen läßt und höret, was ein jeder dazu zu reden hätte, nach Eigenschaft der Sprache oder nach der alten Doctoren Auslegung." Luther konnte sich nie genug thun, auch den schon gedruckten Text immer wieder zu verbessern.

Das Studium der antiken Schriftsteller und des klassischen Altertums hatte nun freilich nicht mehr die führende Rolle wie einst im Zeitalter des Humanismus. Sein Einfluß auf das Leben war fast zunichte geworden. Aber an Werken tüchtiger philologischer Gelehrsamkeit war kein Mangel. Der Humanist war zum Philologen geworden. Zeuge dessen sind die zahlreichen Grammatiken, Wörterbücher, Editionen, bibliographischen Sammelwerke u. s. w. Allerdings stand Deutschland in dieser Beziehung hinter anderen Nationen, vor allem hinter den Franzosen mit ihren Scaliger, Casaubonus u. s. w. und den Holländern mit ihren Lipsius, Heinsius u. a. m. ganz erheblich zurück. Viele Deutsche studierten deshalb auch nach wie vor an auswärtigen Universitäten. Doch ist auch in Deutschland von einem Reineccius, Conrad Gesner u. a. viel Anerkennenswertes geleistet worden.

Eine mehr beklagens- denn rühmenswerte Folge des Humanismus war die lateinische Schuldichtung. Ein richtiger Gelehrter mußte auch lateinische Verse schmieden und wenn er sich noch so ungeschickt dazu anstellte. Denn die Poesie galt als etwas Erlernbares. Die große Menge der lateinischen Gedichte jener Zeit lief auf eine öde Lobhudelei hinaus, mit der kaum verhüllten, häufig sogar offen ausgesprochenen Absicht, von den angesungenen Fürsten, Städten oder sonstigen Gönnern Lohn und Ehren zu gewinnen. Es war also genau so wie mit den Widmungen gelehrter Arbeiten. Es war eben der arme, gering geachtete, stets Hunger leidende Schulmeister — von dem sich der philosophische Universitätsprofessor nur wenig unterschied —, der diese Gedichte anfertigte und aus seinem schulmeisterlichen Können eine Brotquelle machte. Aber auch im Leben des Gelehrten selbst gab es selten ein irgendwie über das Alltägliche hinausragendes Ereignis, das nicht von guten Freunden mit einer Unzahl von Gedichten, Epigrammen, Oden, Elegien u. s. w. gefeiert worden wäre. Namentlich Promotionen, Taufen, Hochzeiten, Begräbnisse lieferten häufigen Anlaß dazu, und da die meisten dieser Gedichte gedruckt wurden, so hat sich in den Bibliotheken ein überreiches Material an Votiv- und Gratulations-Carmina, Epithalamien, Epicedien u. s. w. aufgehäuft, dessen poetischer Wert im ganzen betrachtet noch weniger als Null ist. Wir finden darin immer dieselben konventionellen rhetorischen Floskeln und mythologischen Anspielungen, immer die gleiche geschraubte Nachahmung der antiken Satzformen, Gleichnisse und Redefiguren, immer dieselben stets wiederkehrenden kindlichen Spielereien mit Jahreszahlen und Anagrammen, daß wir uns wohl wundern dürfen, wie sonst ernste und wissenschaftliche Männer an dergleichen Dingen Geschmack finden konnten. Das wurde auch nicht anders, als statt des im 16. Jahrhundert noch fast allein herrschenden Lateins seit Opitz und seinen Zeitgenossen das Deutsche häufig zur Sprache dieser Gedichte gewählt wurde. Andererseits hat sich diese niedrige Gelegenheitspoesie der Gelehrten — die ihnen selbst doch wohl recht viel Freude gemacht haben muß — nicht selten auch der griechischen oder gar hebräischen Sprache bedient, natürlich nur, um damit zu prunken. Wurden doch auch ganze neue Geschichtswerke (Camerarius) und ganze große Gedichtsammlungen (Rhodomannus, Crusius) in griechischer Sprache abgefaßt, die allerdings von einer nicht üblen Beherrschung des fremden Idioms zeugen.

Das heiß erstrebte Ziel eines gelehrten Dichterlings blieb seit den Tagen des Humanismus die Dichterkrönung. Es war nicht allzuschwer, dazu zu gelangen, seitdem die Kaiser den kaiserlichen „Pfalzgrafen" das Recht erteilt hatten, gekrönte Poeten kreieren zu dürfen. Manche dieser Berechtigten machten aus dem „Dichterlorbeer" geradezu einen Handelsartikel und schacherten mit demselben in schamlos marktschreierischer Weise. Aus der Legion dieser gekrönten Dichter und sonstiger Verseschmiede — so sehr sie sich auch als neuerstandener Flaccus, Naso u. s. w. zu beweihräuchern pflegten — ragen nur wenige hervor, die die lateinische Sprache und die antiken Formen wirklich als Dichter handhabten. Aus dem 16. Jahrhundert nennen wir wenigstens Nicodemus Frisch-

Abb. 93. Bildnis des Nicodemus Frischlin (1547—1590). Holzschnitt des Monogr. H. R. (Hans Rogel?) 1578.

lin, später hat der Jesuit Jacob Balde (1604—1668), eine Zeit lang Professor in Ingolstadt, dann Pfarrer und Hofprediger, als „deutscher Horaz" großen Ruhm erlangt. Die lateinischen Dichter des späteren 16. Jahrhunderts glichen noch sehr den „Poeten" der Humanistenperiode. Sie waren wie diese meist lockere, charakterlose Gesellen, namentlich auch in religiöser Hinsicht. Es kam ihnen nicht darauf an, sich einmal als Katholiken, dann als Lutheraner, dann wieder als Reformierte aufzuspielen. Ihre Lebensschicksale waren meist sehr bewegte, ja abenteuerliche. Persönlicher Leibes- und Lebensgefahr, die ja überhaupt den Gelehrten wie allen Menschen der damaligen Zeit näher stand, sind sie nicht immer mit Glück entgangen. Toxites wurde gefoltert, Bruschius erschossen, Frischlin, wegen seiner „Famosschriften" gegen den Adel gefangen gesetzt, kam bei einem Fluchtversuche ums Leben.

Frischlin schildert uns in einem seiner lateinischen Stücke, wie der römische Grammatiker Priscian bei allen Fakultäten vergebens Trost sucht, denn überall bekommt er ein entsetzliches, barbarisches Latein zu hören, das ihm unablässige Qualen, Stiche und Wunden bereitet und ihn ganz krank macht, bis endlich Erasmus und Melanchthon dem Gemarterten die geraubte Gesundheit wiedergeben. Frischlin mit seinem Spott über das mittelalterliche „Küchenlatein" sah nicht, daß dieses vor dem zu seiner Zeit gebräuchlichen doch einen großen Vorzug gehabt hatte. Es war eine lebende Sprache gewesen, die sich gewiß noch fernerhin selbständig weiter entwickelt haben würde, wenn nicht der Humanismus dazwischen gekommen wäre. Indem dieser nun aber rigoros auf Reinheit der lateinischen Sprache drang, vielfach sogar den Cicero allein als Muster eines ordentlichen lateinischen Stils hinstellte, zwang er die lateinische Sprache unter ein starres Formelsystem, das sie eigentlich erst jetzt zu einer toten machte. Diese tote Sprache wurde nun freilich im 16. und auch im 17. bis tief ins 18. Jahrhundert hinein vorzugsweise als die Sprache der Gelehrten gehandhabt, keineswegs immer in klassischer Reinheit übrigens, aber doch eben nicht mehr mit jener alten, ihren Gebrauch so sehr erleichternden Anpassungsfähigkeit. Nach wie vor wurde das Lateinische in den Vorlesungen und Disputationen ausschließlich und zu wissenschaftlichen Darstellungen und zu den Briefen der Gelehrten in weitaus den meisten Fällen verwendet. Bald aber sah es seine Vorherrschaft bedroht. Die Verwendung der deutschen Sprache in Poesie und Prosa und selbst in den Schriften der Gelehrten machte immer weitere Fortschritte. Namentlich die Geschichtsschreibung sah viele tüchtige Werke entstehen, die sich der Volkssprache, manchmal sogar eines Dialekts bedienten. Lange blieb die Sprache dieser Werke wie im Mittelalter und in der Reformationszeit eine naiv-kräftige, wohl derbe, aber volkstümliche. In der zweiten Hälfte des 16. Jahrhunderts kam aber die üble Sitte der Sprachmengerei auf, indem man einen deutschen Satz mit lateinischen Redensarten und Wortbrocken vollpfropfte, in einer für uns häufig geradezu unausstehlichen Weise. Dazu wurde offenbar unter dem Einfluß des lateinischen Stils der deutsche Satz immer länger und ungefüger, man gefiel sich in endlosen Perioden mit allerlei Nebensätzen und Parenthesen, die abgesehen von ihrer abschreckenden Form auch das Verständnis des Geschriebenen unnütz erschwerten. Zuerst in der Kanzlei ausgebildet, machte sich dieser Stil auch in den Schriften der Gelehrten in sehr unliebsamer Weise breit. Und doch dürfen wir das für einen Vorzug halten, denn nur auf diesem Wege konnte mit der Zeit eine deutsche gelehrte Prosa herausgebildet werden.

So viel nun aber auch die Form zu wünschen ließ, in der Sache wurden doch in unserm Zeitraum viele ganz bedeutende Fortschritte gemacht, namentlich in den Naturwissenschaften. Der neue Geist der wissenschaftlichen Erkenntnis per inductionem et experimentum, dem der Engländer Baco von Verulam das Programm schrieb, fand auch in Deutschland bewußte und hochbedeutende Vertreter. Es genügt, einen Johannes Kepler zu nennen. Der Arzt Hieronymus Bock brachte ganze Nächte im Walde zu, um festzustellen, ob die über gewisse Pflanzen verbreiteten Sagen berechtigt seien. Allerdings kann es nicht wunder nehmen, daß in einem Zeitalter des Glaubenszwangs der freien wissenschaftlichen Forschung auf allen Gebieten Fesseln angelegt wurden. Hatte Luther den Kopernikus einen Narren gescholten, so hütete sich noch der seit 1583 in Tübingen thätige Mathematiker Michael Mästlin, das Kopernikanische Weltsystem öffentlich vorzutragen, obwohl er davon überzeugt war. 1616 wurde das Hauptwerk des Kopernikus von der römischen Indexkongregation verboten. Den großen Johannes Kepler bezeichnete das Stuttgarter Konsistorium als ein „Schwindelhirnlein". Die Universität Tübingen rief die Rache Gottes über alle herab, die es wagen würden, den neuen (Gregorianischen) Kalender vom „Statthalter des Satans", von dem „gräulichen Wehrwolf zu Rom" anzunehmen. Man sieht übrigens hieraus, daß der Fortschritt gerade in diesen Dingen keineswegs nur bei den Protestanten zu suchen ist. Die deutschen Jesuiten Scheiner, Schlüssel, Cysat, später der Polyhistor Athanasius Kircher in Rom (1601—1680) waren bedeutende Mathematiker, Physiker und Astronomen. Joachim Jungius (1587—1657) entfesselte einen wahren Sturm theologischer Leidenschaft, weil er gewagt hatte, die Sprache des Neuen Testaments für „nicht recht griechisch" zu erklären. Unter anderm erklärten beide, die theologische und philosophische Fakultät zu Wittenberg: „Soloecismi, Barbarismi und nicht recht Griechisch in der hl. Aposteln Reden und Schriften zu finden, ist dem hl. Geist zu nahe gegriffen und wer die hl. Schrift einiger Barbarismi bezüchtigt, der begehet nicht eine geringe Gotteslästerung." Die trotzdem schon damals bestehende größere Freiheit der Bewegung auf protestantischer Seite lag hauptsächlich in dem für die neue Kirche sonst beklagenswerten Umstand, daß es ihr an einer festgeschlossenen Organisation, an einem überall verbindlichen Lehrsystem fehlte. Was an der einen Universität verboten war, wurde an der anderen gestattet oder wenigstens mit Nach-

Abb. 94. Der Astronom. Kpfr. von Eberhard Kieser ca. 1600 nach dem Totentanz von Hans Holbein.

Abb. 95. Astronomische und geometrische Instrumente. Holzschnitt des M. Ostendorfer aus: Apianus, Instrumentenbuch. Ingolstadt 1533.

sicht behandelt. Allerdings steckte ja die Wissenschaft selbst noch tief im Aberglauben, und auch Kepler hielt es nicht für unter seiner Würde, Prognostika und Praktiken zu verfertigen und sich selbst und anderen Horoskope zu stellen. Freilich im Stillen hatte er so seine Zweifel bei der Sache. „Die Astrologia", schrieb er, „ist wohl ein närrisches Töchterlin; aber du lieber Gott, wo wollte ihre Mutter, die hochvernünftige Astronomia bleiben, wenn sie diese ihre närrische Tochter nicht hätte? Ist doch die Welt noch viel närrischer und so närrisch, daß deroselben zu ihrem Frommen diese alte verständige Mutter durch der Tochter Narrentaydung eingeschwatzt und eingelogen werden muß. Und seind der Mathematicorum Salaria so gering, daß die Mutter gewißlich Hunger leiden müßte, wenn die Tochter Nichts erwürbe." Der Gelderwerb war auch bei Kepler der Hauptgrund seiner Beschäftigung mit diesen Thorheiten.

Ein ebenso verbreiteter, in seinen Folgen aber meist bedenklicherer Aberglaube jener Zeiten war die Alchimie, die gerade in der zweiten Hälfte des 16. Jahrhunderts recht eigentlich ihre Blütezeit in Deutschland erlebte. Unsere Leser wissen, daß es sich bei dieser Pseudowissenschaft darum handelte, einen Stoff zu finden, der alle Körper in Gold zu verwandeln, alle Krankheiten zu heilen und sogar das ewige Leben zu geben vermöge. Dies war das Magisterium, der Stein der Weisen, das Lebenselixir. Diese Substanz müsse der „Adept" auf schmelzendes Metall werfen, dann werde es in Gold verwandelt. Ein Hermes Trismegistos, der Araber Geber wurden als halb rätselhafte Urheber dieser Kunst gefeiert. Die bedeutendsten Männer des Mittelalters waren Anhänger der Alchimie. Jetzt, im 16. und vielfach auch noch im 17. Jahrhundert, gehörten die „Goldmacher, Feuerkünstler und Goldköche" gleichsam zum Hofstaat der meisten Fürsten. Die Mehrzahl derselben waren aber Abenteurer und Betrüger, nicht eigentlich Gelehrte zu nennen, so viele unter den letzteren auch dem allgemeinen Aberglauben der Zeit huldigten und ihn wissenschaftlich zu begründen suchten. Jene Abenteurer konnten sich an einem und demselben Orte meist nicht lange halten. Hatten sie ihre Herren genügend lange gefoppt, d. h. unter dem Scheine einer mit größtem Aufwand getriebenen Arbeit recht viel Geld herausgeschlagen, so mußten sie schleunigst das Weite suchen, um nicht entlarvt mit Galgen und Schwert unliebsame Bekanntschaft zu machen. Manch armer Schelm aber, der, selbst betrogen, sich vergeblich bemühte, wurde wohl ins Gefängnis geworfen und gefoltert, weil er angeblich seine Kenntnis vom Goldmachen nicht verraten wollte.

Von den gewaltigen Umwälzungen der Reformationszeit war nun auch der äußere Typus des deutschen Gelehrten nicht unberührt geblieben. Rein numerisch betrachtet dürfte freilich damals immer noch wie im Mittelalter der Gelehrte vorwiegend ein Geistlicher gewesen sein. Ja mehr noch, man kann diesen Satz jetzt beinahe umkehren und behaupten, daß der Geistliche nun vorzugsweise ein Gelehrter war. Denn die Protestanten wie ihre Gegner machten eine gewisse theologisch-wissenschaftliche Bildung für den Geistlichen zur Vorschrift. Wir wissen, welch geringe

Abb. 96. Goldmacher und Schwarzkünstler. Kpfr. von Ph. Galle nach Joh. Stradanus, ca. 1570. München, Kupferstichkabinet.

Abb. 97. Alchimistischer Ofen. Titelblatt zu: Geber, de Alchimia libri tres. Straßburg, Grüninger, 1531.

Anforderungen das Mittelalter in dieser Hinsicht an seine Kleriker gestellt, wie viele unter ihnen eine Universität überhaupt nie gesehen hatten. Jetzt war das anders geworden und wurde von Jahr zu Jahr besser. Sehr viele auch, namentlich in protestantischen Landen, die später einen anderen Beruf ergriffen, haben zuerst Theologie studiert, in der Absicht, später einmal Pfarrer zu werden. Freilich nicht jeder brachte es soweit und mußte sich eben zufrieden geben, „Schulmeister" zu werden und, wenn es hoch kam, Rektor einer gelehrten Schule oder Professor an einer Universität. Diese Berufe scheinen oft als gleichwertig angesehen worden zu sein. Ja, weil die Rektoren in reicheren Städten meist gut bezahlt waren, sehen wir nicht selten einen Professor seine Universitätslektur mit einer Rektoratsstelle vertauschen. So Jungius z. B. seine Professur der Mathematik mit dem Rektorat des Johanneums in Hamburg, so Nathan Chyträus seine Professur der lateinischen Sprache, ebenfalls in Rostock, mit dem Rektorat des Gymnasiums in Bremen. Der Durchgang durch das Schulamt war als Vorstufe für das Pfarramt durchaus gebräuchlich. Luther hielt sehr viel davon und nicht minder die Jesuiten. Ein Pfarrer, wenigstens an einem größeren Orte, war aber stets weit angesehener als ein Professor.

In der alten Ausschließlichkeit freilich bestimmte der geistliche Stand nicht entfernt mehr den Charakter des Gelehrten. Schon allein darum nicht, weil inzwischen das Studium des weltlichen römischen Rechts an allen Universitäten die Oberhand gewonnen hatte. Zumal an den protestantischen Universitäten lehrten und studierten nur Weltliche die Jurisprudenz. Von der protestantischen Geistlichkeit wurde das Kirchenrecht nicht zu ihrem Vorteil fast gänzlich vernachlässigt. Da das römische Recht in der gerichtlichen Praxis das deutsche mehr und mehr verdrängte, so war der Bedarf an gelehrten Richtern fortwährend im Steigen begriffen. Entsprechend wuchs auch die Zahl der Rechtskonsulenten, Syndici u. s. w., denn Fürsten und Städte brauchten in immer steigendem Umfange die Ratschläge der „Hochgelahrten". Und auch für die Verwaltung, zur diplomatischen Vertretung, zu jeglicher höheren Bethätigung der Amtsgewalt schienen bald die Juristen allein die erforderlichen Eigenschaften mitzubringen.

Auch die Zahl der gelehrten Ärzte nahm immer mehr zu. Sehr häufig gaben sie sich außer mit ihrem ärztlichen Beruf auch mit anderen Wissenschaften ab. Daß sie Naturwissenschaften, namentlich Botanik trieben, wird uns nicht wunder nehmen, aber auch in der Philologie haben viele von ihnen Bedeutendes geleistet, wie uns schon aus der Blütezeit des Humanismus die Namen eines Hartmann Schedel, Cuspinian, Vadian bezeugen. In der zweiten Hälfte des 16. Jahrhunderts glänzt vor allem der Name des hauptsächlich als Zoologe berühmt gewordenen schweizerischen Polyhistors Conrad Gesner. War ja doch auch, wie wir bereits wissen, das Aufrücken aus einer philosophischen Professur in eine medizinische nichts Seltenes. Der berühmte Arzt und Botaniker Caspar Bauhin in Basel war längere Zeit Professor der griechischen Sprache, ehe ihm die Professur der Anatomie und Botanik übertragen wurde. Manche ergriffen auch erst in späteren Jahren das Studium der Medizin, teils aus innerer Neigung, wie Brunfels und der genannte Gesner, teils um sich einen besseren Verdienst zu verschaffen.

Außer als Pfarrer, als Jurist, als Arzt, als Lehrer oder Professor kamen Gelehrte in unserm Zeitraum nun auch schon in anderen Berufen unter, als Bibliothekare — z.B. an der berühmten kurfürstlichen Bibliothek in Heidelberg — als Archivare, wie der Historiker Hortleder in Weimar, der zugleich Prinzenerzieher war, auch wohl als Schloßhauptmann, wie der Philologe Johann Wouwer zu Gottorp, als Hofmathematici, wie Kepler, und Hofbotanici, wie Clusius bei Kaiser Maximilian II. und später dem Landgrafen Wilhelm IV. von Hessen-Cassel.

Ein Bogislav Philipp von Chemnitz wurde 1644 zum „teutschen Historiographen der kgl. schwedischen Majestät" ernannt und mit der Ausarbeitung einer Geschichte des „Schwedischen in Teutschland geführten Krieges" betraut. Der gelehrte, aber unzuverlässige Goldast stellte seine Feder bald hier bald dort den Mächtigen zur Verfügung. Ja es gab solche, die wie Johann Philipp Abelin († 1637) und Kaspar Lundorp († 1629) mit ihren fortlaufenden Publikationen des Theatrum europaeum und der Acta publica schon ganz selbständig von der Tagesschriftstellerei zu leben wagten.

Gelehrte, namentlich junge in ärmlichen Verhältnissen, sehen wir auch sehr häufig Jahre hindurch als Korrektoren in großen Buchdruckereien ihr Brod erwerben. Umgekehrt gab es seit den Baseler Druckern Amerbach und Froben eine ganze Reihe gelehrter Buchdrucker in Deutschland; so Wechel in Frankfurt, Comelinus in Heidelberg; so Oporinus in Basel († 1568), der, ehe er zu drucken anfing, Professor der griechischen Sprache gewesen war. Er war auch als Buchdrucker mehr Gelehrter als Geschäftsmann und scheint sich dadurch ruiniert zu haben.

Ein völlig anderes Bild gegenüber dem Mittelalter gewährt uns das häusliche Leben des Gelehrten, wenigstens in den protestantischen Ländern. Der katholische Gelehrte, sofern er Geistlicher war — und dies war meistenteils der Fall —, blieb nach wie vor ein Hagestolz, ganz abgesehen von den weiter bestehenden und sogar im Wachsen begriffenen Mönchsorden. Der protestantische Geistliche ist seit Luther Ehemann und Familienvater. Dasselbe gilt natürlich auch von den Rektoren, Magistern und Professoren an protestantischen Schulen und Universitäten. Früher fast stets Angehörige des geistlichen Standes und als solche Cölibatäre, sind sie jetzt vorwiegend verheiratet. Melanchthon, erzählt einer seiner Freunde, sei

Abb. 98. Bildnis des Konrad Gesner (1516—1565). Holzschnitt von L. Frig nach Chr. Maurer. Unbeschrieben.

Abb. 99. Der beschäftigte Gelehrte, der sich weder durch das Geschrei der Kinder noch durch Buhlerei seines Weibes stören läßt. Holzschnitt von Hans Frank aus: Geiler von Kaisersperg, Sünden des Mundes. Straßburg, Grüninger, 1518.

nicht selten überrascht worden, in der einen Hand ein Buch, woraus er studierte, während er mit der andern die Wiege schaukelte, darin sein Töchterchen lag. Das war nun schon der echte, anheimelnde Typus des deutschen Gelehrten, wie er sich seitdem Jahrhunderte lang, ja bis auf den heutigen Tag immer noch in überwiegendem Maße erhalten hat, mag auch in neuester Zeit der äußere Zuschnitt des Gelehrtendaseins in vielen Fällen ein noch so glänzender geworden sein.

Über die Gehaltsbezüge im 16. Jahrhundert sind wir einigermaßen gut unterrichtet. In Wittenberg z. B. bekamen nach der Neuregelung des Studiums 1536 die 3 theologischen Professoren je 200, die 4 juristischen 100 bis 200, die 3 medizinischen 80 bis 150, die artistischen 80 bis 100 fl. Besonders hervorragende Lehrer bekamen ein Ausnahmegehalt, so Melanchthon 300, seit 1541 400 fl., ebenso viel wie Luther. Die Wittenberger Professoren waren überhaupt nicht schlecht bezahlt. In Leipzig bekamen nach der Reformation der Universität 1541 eine große Anzahl lesender artistischer Magister nur 50, zum Teil sogar nur 30 fl. Auch in Heidelberg betrug das Gehalt der jüngeren Magister nur 50 fl. Eine Folge der ungleichen Gehälter der Professoren war das Aufsteigen aus einer Professur in eine andere, nicht nur innerhalb der philosophischen Fakultät, sondern auch in eine besser bezahlte Professur einer der oberen Fakultäten. Das war noch im 18. Jahrhundert nichts Ungewöhnliches.

Bei ihrem meist sehr bescheidenen Gehalt waren die Professoren auf allerlei Nebenbezüge angewiesen. Zwar die Examens- und Promotionsgelder, sowie die Präsenzgelder für Disputationen waren jetzt gering, schon allein, weil der Besuch weitaus der meisten Universitäten stark abgenommen hatte. Etwas mehr trug das Erteilen von Privatunterricht ein, namentlich in Gestalt von Disputationskursen, und dann kam schon im 16. Jahrhundert die Sitte auf, daß die Professoren für einen Studierenden, der sich um einen akademischen Grad bewarb, gegen Entgelt Dissertationen verfaßten, die meist gedruckt wurden und von dem Kandidaten, dem sog. Respondenten, nur mündlich verteidigt zu werden brauchten. Diese Sitte hat sich bis in die erste Hälfte des 19. Jahrhunderts hinein erhalten, so daß die meisten Doktordissertationen der vergangenen Jahrhunderte nicht als von dem Bewerber um den Doktorhut, sondern von einem Professor (dem sog. Präses) verfaßte angesehen werden müssen. Manche Professoren entwickelten darin eine geradezu kaninchenhafte Fruchtbarkeit.

Sonst war mit schriftstellerischen Arbeiten nicht viel zu verdienen. Ein Frankfurter Verleger hielt es für eine unerhörte Zumutung, daß ihm 1594 für ein über 100 Bogen in Folio starkes Werk 100 Thaler und 5 Freiexemplare abverlangt wurden. Der Autor mußte sich mit 50 Thalern und 10 Freiexemplaren begnügen. Marquard Freher erhielt für den Foliobogen einen halben Thaler, Quirinus Reuter — beide Professoren in Heidelberg — einen halben Gulden. Der letztere klagte: „Männer unsers Standes pflegen den Buchhändlern zu dienen, diese haben den Gewinn, aber was haben wir?" Vielfach mußten die Gelehrten ihre Werke auf eigene Kosten drucken lassen. Wer es dazu hatte, legte sich dann wohl in seinem Hause eine eigene Druckerei an, wie der Helmstädter Professor Calixtus oder in Nürnberg der Polyglottist Elias Hutter.

Um nun wenigstens einigermaßen auf die Kosten zu kommen, pflegten die Gelehrten ihre Arbeiten meist irgend einem hochmögenden Gönner, einem Fürsten, einer Stadtverwaltung oder sonst reichen und vornehmen Personen zu verehren. Es war dies eine feinere Form der Bettelei. Natürlich pflegen die vielen diesen Werken vorgedruckten Widmungsepisteln in liebedienerischen und lobhudelnden Redensarten förmlich zu schwelgen. Dabei fiel der Dank oft kärglich genug aus. Hatte man oft nach langem Warten ein paar Gulden oder Thaler bekommen, so konnte der noch froh sein, dem nicht die Zumutung gemacht wurde, die angebettelte Person oder Behörde künftig mit dergleichen Dingen zu verschonen.

Doch hatte das Dedikationsunwesen — wurden doch sogar siebenjährigen Knaben und zwar nicht nur Fürstenkindern Bücher gewidmet — für die Gelehrten auch sonst noch Nutzen. So mancher arme Teufel hat sich dadurch eine Erzieher- oder Rektoratsstelle oder eine Professur zu verschaffen gewußt.

Eine bis in die neueren Zeiten auch von Uni-

Abb. 100. Eucharius Rößlin überreicht sein Werk „Der Swangern frawen vnd hebammen Rosegarten" der Herzogin Catharina von Braunschweig. Holzschnitt des Monogrammisten M. C. (Conrad Merkel?). Straßburg, M. Flach, 1513. Nagler M. IV. 1700.

Abb. 101. Gelehrte der Renaissancezeit. Aus dem Holzschnitt: Der sogenannte Michelfelder Teppich. Fälschlich Dürer zugeschrieben. B. VII. p. 187, Nr. 34. 3.

versitätsprofessoren nicht selten geübte Art des Erwerbs war das Halten von Pensionären. Es gab aber auch ganz seltsame Erwerbsquellen. An den meisten Universitäten waren die Professoren für die von ihnen bezogenen Getränke, Wein und Bier, steuerfrei. An manchen, wie in Jena, in Altdorf, hatten sie sogar das Recht, so viel Bier — manchmal in einem besonderen Kollegienbräuhause — brauen zu dürfen, als sie für ihre eigene Wirtschaft benötigten. Die Gefahr lag nahe, daß sie diese Freiheit ausnützten und auch an andere Personen Bier abgaben; ja es war garnichts seltenes, daß die Professoren in ihrem Hause eine Art Wirtschaft betrieben und sowohl Wein als namentlich Bier an die Studierenden ausschenkten. Den Heidelberger Professoren erlaubten die Statuten 1558 ausdrücklich, jährlich zwei Fuder Wein auszuschenken. Da wurde oft Klage geführt, wie Völlerei und ein liederlicher Lebenswandel in den Häusern der Professoren genährt würden. Im Grunde lag diese Unsitte doch an den unentwickelten wirtschaftlichen Verhältnissen der Zeit, in der ja noch immer so häufig Naturalleistungen die Stelle von Geldbezügen vertraten.

Steinhausen in seiner Monographie vom deutschen Kaufmann weiß auch von einigen Kölner Professoren zu erzählen, die gegen Ausgang des 16. Jahrhunderts förmlich Handel trieben. Ein Gegenstück dazu bildet der Jenenser Theologieprofessor Johann Gerhard, der so vermögend wurde, daß er seinem Landesherrn sogar einmal ein Kapital leihen konnte.

Für einen deutschen Gelehrten war das etwas Unerhörtes. Denn alles in allem kann der Lebensunterhalt der meisten unter ihnen nur ein sehr bescheidener, ja kärglicher genannt werden. Wie sollte ein Magister in protestantischen Ländern mit Frau und Kind von etwa 50 fl. sich ernähren können, wenn ein auskömmliches Stipendium für einen Studenten in der zweiten Hälfte des 16. Jahrhunderts mit 25 bis 35 fl. bemessen wurde. Dazu kam das stetig zunehmende Sinken des Geldwerts, unter dem alle auf einen festen Gehalt angewiesenen am empfindlichsten zu leiden hatten. Fechtmeister, ja Hofnarren standen sich meist weit besser als die gelehrtesten und fleißigsten Professoren.

Der Gelehrte, meist in Armut geboren und erzogen, heiratete meist wieder in ärmliche Verhältnisse hinein, etwa eine Professoren- oder Pfarrerstochter. Heiratete er reich, so war es wohl meist die Tochter eines wohlhabend gewordenen Handwerkers, seltener die eines angesehenen Kaufmanns. Nicht selten ist der Gang der, daß die Söhne armer Landleute zuerst Schullehrer oder Geistliche werden, deren Söhne dann angesehene Gelehrte oder Beamte. Jetzt, mit dem Aufhören des Cölibats, konnte es auch Gelehrtengenerationen geben, wie die der Chemnitz, Calixtus, Carpzov u. s. w.

Der deutsche Gelehrte hat es aber ohnehin in jenen Tagen viel schwerer gehabt. Wo waren damals die kostbaren Bibliotheken, die heute mit Recht als das erste unabweisliche Erfordernis für alles wissenschaftliche Arbeiten angesehen werden? Schüchterne Anfänge dazu waren ja vorhanden, wir kommen später noch darauf zurück. Aber in der Hauptsache mußte jeder für sich selbst sorgen, und es gehörte schon der ganze Idealismus des deutschen Gelehrten dazu, in steter Sorge ums tägliche Brod auch noch für die Beschaffung einer ansehnlichen Büchersammlung Mittel aufbringen zu können. Es sei nur an den armen Goldast erinnert, der seine Bücherschätze, die heute einen unschätzbaren Bestandteil der Bremer Stadtbibliothek bilden, freilich nicht immer auf dem lautersten Wege zusammengebracht haben soll.

Abb. 102. Studierender Gelehrter, von Folianten und Globus umgeben. Copie nach G. van Vliet 1634. Hamburg, Stadtbibliothek.

Qui sapit alterius damno, sapit optimus ille: | Qui petit alta, cadit: qui cadit, ille jacet

Wer klug wird durch eins andern Schad,
Der hat bey sich den besten Rath.

Wer gern hoch steigt fällt auch allso,
Vnd wenn Er fällt, so liegt Er do.

Abb. 103. Allegorie auf allzu hohes Streben. Im Hintergrund die spätere Universitätsstadt Halle. Kpfr. aus: D. Meißner, Politisches Schatzkästlein. Frankfurt, Kieser, 1623.

Allerdings waren ja auch die Bedürfnisse eines damaligen Gelehrten weit bescheidener als heutzutage. Gereist wurde zwar viel, aber oft nur aus Zwang, wenn man, wie es nicht selten vorkam, aus äußeren und inneren Gründen seinen Aufenthalt wechselte. Als ein Vergnügen galt das Reisen damals noch kaum. Allenfalls wenn man nur die nächste Umgegend aufsuchte, um Pflanzen zu sammeln, wie dies Euricius Cordus († 1535) mit seinen Schülern in der Nähe von Marburg, Conrad Gesner in Zürich (1516—1565), Caspar Bauhin in Basel (1560—1624) thaten. Die Vorläufer unserer botanischen Excursionen! Da öffnete sich denn wohl auch einem Gelehrten wie Gesner — ihm, der überhaupt der Verdientesten und Unermüdlichsten einer war — der Sinn für die Großartigkeit der Alpenwelt. Wer etwa für botanische Werke weiterer Ausflüge bedurfte, der klagte wohl, wie Hieronymus Bock († 1554) was für „Gefahr, Angst, Sorg, große Arbeit, Hunger, Durst, Frost, Hitze, Schrecken, lange sorgliche Reis hin und wider durch viel Umwege des deutschen Landts, als in Wäldern, Bergen und ebenen Feldern", er erduldet hätte, um sein Kräuterbuch zu verfassen, von den Beschwerden und Gefahren vollends, die etwa der Augsburger Arzt Leonhard Rauwolf 1573 auf einer in wissenschaftlichem, hauptsächlich botanischem Interesse nach dem Orient unternommenen Reise auszustehen hatte, garnicht zu reden.

Wie keine Erholungs- und Vergnügungsreisen, auch meist keinen Landaufenthalt, gab es auch damals noch kein Theater, keine Konzerte und erst recht keine Gesellschaften und Bälle, wofür etwa der Gelehrte Geld hätte ausgeben können. Tänze fanden in der Regel nur bei Hochzeiten statt. Die Taufen in einer kinderreichen Professorenfamilie mögen wohl manchmal keinen kleinen Aufwand verursacht haben, aber die Geschenke der Gäste und namentlich ein reicher Gevatter brachten das wohl wieder ein. Sonst, wenn sich der Gelehrte gütlich thun wollte, boten sich ihm wohl allerlei akademische Festlichkeiten, wie Magister- und Doktorschmäuse u. s. w. Und es gab hochgelehrte Professoren, wie den Juristen Scipio Gentilis — ein Italiener von Geburt —, die sich in Ärgernis erregender Weise des Nachts mit den Studenten in den Gassen herumtrieben,

Docta placent doctis: non curat Amaracinum Sus: | Proq; auro indoctus stramen Asellus amat

Den Glerten gfallen glerte Sachn, | Ein Schwein das Balsamöhl nicht acht,
Ausm Esl kan man kein Doctor machn. | Fur Gold dem Esel Stroh werd bracht

Abb. 104. Allegorie auf die Gelehrsamkeit. Im Hintergrund die Universitätsstadt Marburg. Kpfr. aus: D. Meißner, Politisches Schatzkästlein. Frankfurt, Kieser, 1623.

schrieen, polterten und lärmten und wehrlosen Bürgern ihren Degen ins Gesicht trieben. Aber auch die Abgabenfreiheit von der Getränkesteuer mag so manchen Professor zu einem stillen Haustrunk verleitet haben, der wohl häufig stärker ausfiel, als es für seine gelehrten Studien förderlich gewesen sein dürfte.

Kostbar war meist die Kleidung, wenn, wie es wohl vorkam, der Gelehrte auch einmal den Gecken spielen wollte. Der Pfarrer Joachim Westphal in Hamburg schrieb 1565 in seinem „Hoffartsteufel", die Lehrer an den hohen Schulen kleideten sich „reuterisch, kurz, zerhackt", und eine „üppige, leichtfertige, freche, prächtige, unverschämte" Kleidung fände man nirgends mehr als auf Universitäten, vornehmlich natürlich bei den Studierenden. Es war wohl dieselbe Unsitte, die Westphals Collega Musculus als „Hosenteufel" warnend zu verewigen für gut befunden hat. Doch war die Kleidung der Gelehrten im ganzen wohl ehrbar gehalten. Noch lange wurde von ihnen die alte lange, faltige deutsche Schaube bevorzugt. Die spanische Halskrause zwar kam dazu. Wer aber von den Gelehrten das spanische Mäntelchen, die ausgepolsterten spanischen Hosen und Wämser trug, der galt als Stutzer. Die Tracht der Gelehrten sollte wesentlich noch eine klerikale sein, wie im Mittelalter.

Eine sehr anziehende und nicht zu kostbare Liebhaberei, nämlich die Blumenzucht und den Gartenbau, finden wir bei manchen, namentlich holländischen Gelehrten, die in Deutschland lebten. So bei Janus Gruterus, bei Justus Lipsius. Es waren dies Philologen, ihr Interesse wird also in der Hauptsache ein ästhetisches gewesen sein, während sich manche Ärzte, ein Conrad Gesner u. s. w. aus wissenschaftlichem Interesse einen Hortus medicus anlegten. Blumen hat der deutsche Gelehrte übrigens wohl immer gern gehabt. Nicht selten finden wir ihn damit abgebildet.

Im allgemeinen, dürfen wir annehmen, befleißigte sich der Gelehrte eines stillen, nüchternen, arbeitsamen, wenig Aufsehen erregenden Lebenswandels. Wie wäre sonst die ungeheure Menge wissenschaftlicher Arbeiten zu erklären, die uns aus dem 16. und der ersten Hälfte des 17. Jahrhunderts in beiläufig stets steigender Zahl erhalten sind. Die fünfjährige Durchschnittsziffer

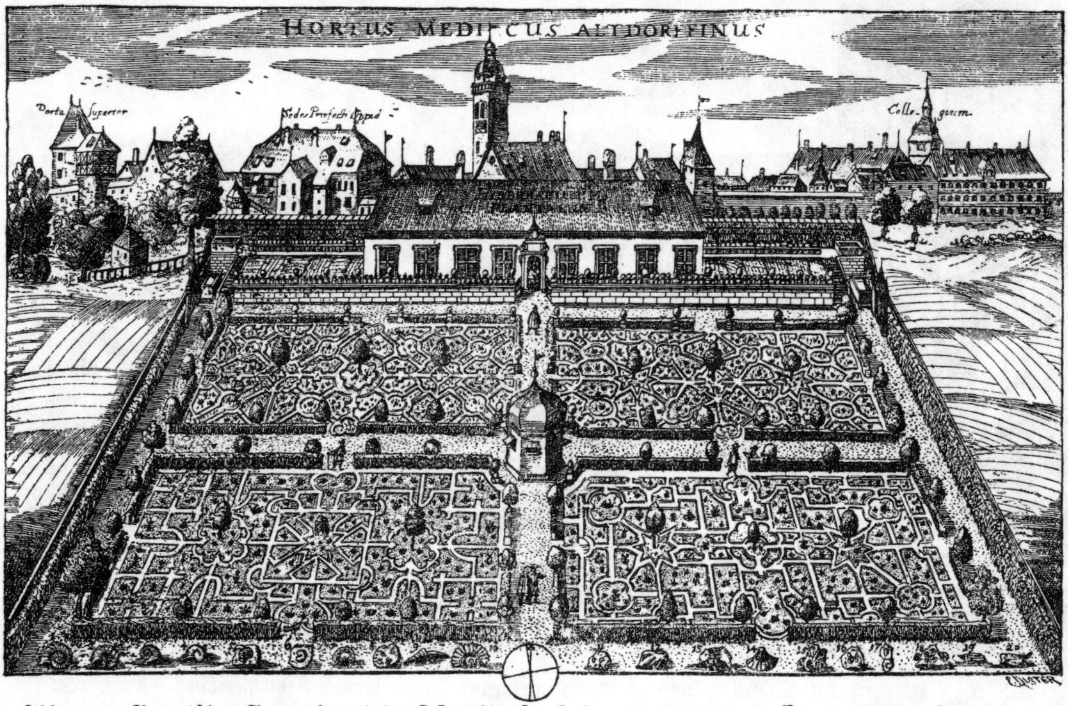

Abb. 105. Botanischer Garten der Universität Altdorf. Kpfr. aus: Joh. M. Hoffmann, Florae Altdorfinae deliciae hortenses 1676.

der in den Frankfurter Meßkatalogen natürlich lange nicht erschöpfend aufgeführten, in Deutschland (wenigstens größtenteils) veröffentlichten Bücher stieg von 487 jährlich in den Jahren 1576—1580 auf 1544 in den Jahren 1611—1615. Um sich zu überzeugen, wie viel davon oft auf einen einzigen Gelehrten kommt, braucht man nur irgend ein beliebiges Gelehrtenlexikon nachzuschlagen.

Ein ähnlicher Hang sprach sich auch in den unförmlich langen Titeln aus, die man den Büchern vorzusetzen liebte. Namentlich diejenigen der in deutscher Sprache verfaßten, also mehr aufs große Publikum berechneten Bücher waren oft wahre Monstra. Platz dazu war ja meist vorhanden, denn die Ausgaben in Folio und auch in Quart wurden damals bevorzugt. Während aber etwa die Sammlungen von Konzils- und weltlichen Akten, patristische Werke, theologische Kommentare u. dgl. m. dicke, schwere Foliobände, in Holz, gepreßtem Leder, vielfach auch in Schweinsleder gebunden, füllten, fand man auf der anderen Seite an verschwindend kleinen Sedez- oder Duodezausgaben Gefallen; nicht nur für Gebet-, Gesang- und sonstige Erbauungsbücher, sondern es gab auch berühmte Verlegerfirmen, wie die Elzevirs in Leyden, die ganz reizende kleine Miniaturausgaben von Klassikern und auch historischen Schriften veranstalteten. Die Lettern, eine zierliche Antiqua — diese hatte schon im zweiten Jahrzehnt des 16. Jahrhunderts die alten gotischen Lettern für den lateinischen Druck verdrängt — sind zwar klein, aber sehr schön leserlich.

Freilich die Augen der damaligen Gelehrten konnten wohl auch kleinere und schlechtere Typen vertragen. Wir Menschen von heutzutage wären gewiß verzweifelt über die schlechte Beleuchtung, unter der damals das gelehrte Schaffen in der Regel vor sich ging. Schon am Tage ließen die uns heute so altertümlich anheimelnden, manchmal mit Glasmalereien geschmückten Butzenscheibenfenster — wo selbst das liebe Himmelslicht trüb durch gemalte Scheiben bricht — ein vielfach gebrochenes und namentlich bei trübem Wetter sehr behindertes Licht hindurch, das der Sehkraft ganz entschieden stärkere Zumutungen stellte als die modernen glatten Fensterscheiben. Und waren Feld und Auen von schwarzer Nacht bedeckt, so bildete ein oft übelriechendes, qualmendes Unschlittlicht oder ein trübe brennendes Öllämpchen, das wir auf nebenstehendem Bilde von der Decke herabhängen sehen, meist die einzige Lichtquelle, bei der es dem Gelehrten außen und in seinem „Busen helle" wurde. Trotzdem war das Nachtarbeiten der Gelehrten sehr gewöhnlich. Und wie in unsern Tagen ein Alexander von Humboldt, ein Leopold von Ranke u. a. mit ein paar Stunden Schlaf auskamen, so hat es auch damals — und damals vielleicht erst recht — so manchen Gelehrten gegeben, der die Nacht zum Tage machte und dabei doch trotz aller angestrengten Arbeit ein hohes Alter erreichte. Ein Beispiel ist Melanchthon, der, wenn andere aufstanden, schon eine halbe Tagesarbeit hinter sich zu haben pflegte. Denn die dritte Morgenstunde sah ihn gewöhnlich schon wieder am Schreibtisch, allerdings pflegte er auch um 9 Uhr zur Ruhe zu gehen.

Es möge hier die kurze Schilderung folgen, die Comenius in seinem orbis pictus von der Studierstube entwirft. „Das Museum oder das Kunstzimmer", schreibt er, „ist ein Ort, wo der Kunstliebende (Studiosus) abgesondert von den Leuten, alleine sitzet, dem Kunstfleiß (Studiis) ergeben, indem er Bücher lieset, welche er neben sich auf dem Pult aufschläget und daraus in sein Handbuch das bäste auszeichnet oder darinnen mit Unterstreichen oder am Rand mit einem Sternlein (asteriscus) bezeichnet. Wer bey Nacht studiren wil (lucubraturus), der stecket ein Liecht auf den Leuchter, welches gebutzet wird mit der Liechtscheer; vor das Liecht stellet er den Liechtschirm, welcher grün ist, damit er nit abnütze die Schärffe des Gesichts. Die Reicheren gebrauchen Wachskerzen, dann das Unschlitliecht stinket und rauchert."

Diese Schilderung, wenn sie auch erst aus dem Jahre 1658 stammt, findet doch so ziemlich auf die ganze deutsche Vergangenheit Anwendung. Noch ein Kant und Hegel arbeiteten bei Kerzenlicht, erst in der zweiten Hälfte des 19. Jahrhunderts haben das Petroleum und später Gas und sogar Elektrizität die alten unvollkommenen Beleuchtungsarten verdrängt. Die Augen der Gelehrten sind trotzdem wohl nicht besser geworden, wenn wir auch schon auf älteren Abbildungen so manchen Gelehrten mit einer mächtigen Hornbrille — die Brillen sind eine Erfindung des Mittelalters — bewaffnet sehen.

Der hohe Ruhm, den bedeutende Gelehrte bei Mit- und Nachwelt genossen, hinderte nicht, daß dem Gelehrten im praktischen Leben vielfach mit Mißachtung begegnet wurde. Dies geschah seitens der Junker, der fürstlichen und städtischen Beamten, der Kaufleute und anderer Männer des praktischen Lebens. „Die Besitzer des Doctorgrads", klagt ein sächsischer Theologe 1605, „seien früher bei Hofe dem Adel gleichgestellt worden, zu unsern Zeiten aber will der Gelehrten Stand von den anderen gar vernichtet und verachtet werden, müssen ihre Blackscheiter und Dintenfresser genennet sein." Freilich dachten nicht alle so. Fürst Ludwig von Anhalt, der Stifter der fruchtbringenden Gesellschaft (1617), die den Zweck hatte,

Abb. 106. Gelehrter. Titelblatt zu einer Elzevirausgabe 1651.

Abb. 107. Gelehrter im Studierzimmer vor brennender Kerze, dem ein Gespenst erscheint. Kpfr. aus: Gottfried, Chronik. Frankfurt, Merian, 1674.

deutsche Sitte und Sprache rein zu erhalten, wehrte jeden Versuch ab, die Gesellschaft allein auf den Adel einzuschränken, und erklärte ausdrücklich die Gelehrten auch für edel „von wegen der freien Künste".

Allerdings brachten die Gelehrten oft selber ihren Stand um die ihm von Rechts wegen gebührende Achtung. Der Wittenberger Professor der Poesie, Friedrich Taubmann († 1613), ein geschickter lateinischer Gelegenheitspoet, spielte am sächsischen Hofe den „kurzweiligen Rat", mit andern Worten den Hofnarren und mußte sich als solcher allerlei plumpe Scherze gefallen lassen. Er rächte sich dafür nicht immer in der saubersten Weise, spie über die Tafel, machte unflätige Possen und Redensarten. Wenn Taubmann sich wie ein Narr und Trunkenbold benahm, so darf man sich nicht wundern, daß die Mißachtung gegen ihn auch auf seine Kollegen übertragen wurde.

Die starrköpfige Rechthaberei und das grobe Schimpfen, der in der litterarischen Polemik der Zeit überall sich zeigende Mangel an Objektivität, der gelehrte Hochmut und Eigendünkel waren weitere unliebsame Eigenschaften der Gelehrten. Auch Unehrlichkeit war nichts Seltenes. Wie Flacius in den Klöstern, in denen er Studien machte, aus kostbaren Handschriften Blätter herausschnitt, so plünderte man auch in naiver Weise seine Vorgänger, schrieb lange Stellen, ja ganze Bücher aus ihnen ab, ohne ihre Namen zu nennen. Man überzeuge sich aus Jöchers Gelehrtenlexikon, wie vielen berühmten Gelehrten damals der Vorwurf eines Plagiarius gemacht worden ist. Manch einer, wie z. B. Goldast, übte auch noch immer das alte Mittel der Fälschungen. Dergleichen Untugenden konnten erst allmählich mit der Zunahme des kritischen Geistes und mehr wohl noch mit dem stetig sich entwickelnden Ehr- und Standesgefühl des deutschen Gelehrten zum Schwinden kommen.

Abb. 108. Universitätsbibliothek in Leyden. Kpfr. nach J. C. Woudanus 1610. Nürnberg, German. Museum.

Wir kommen zur Zeit des dreißigjährigen Krieges. Dieser hat unleugbar wie auf das ganze wirtschaftliche und soziale Leben, so auch auf das gelehrte und überhaupt geistige Treiben in Deutschland einen höchst lähmenden Einfluß ausgeübt. Viele Gymnasien und andere Schulen wurden geschlossen, ganze Universitäten, wie Heidelberg und Helmstädt, verödeten. Daß eine Decimierung der Bevölkerung auch eine Verringerung der Zahl der fähigen Köpfe zur Folge haben mußte, liegt auf der Hand. Und unter der heranwachsenden Generation, wie viele Tausende selbst aus den besseren Ständen entbehrten der Wohlthat einer geordneten Erziehung! Auch rein äußerlich hatten die Gelehrten viel zu leiden. Welch entsetzlichen Drangsalen waren namentlich in den Dörfern und kleineren Städten Pfarrer und Schulmeister ausgesetzt! Es waren auch manche Gelehrte darunter ebenso wie unter den zahlreichen Exulanten, namentlich aus den österreichischen Ländern, die unstät von Stadt zu Stadt ziehen mußten, um Almosen betteln bei ihren oft gleichfalls hart bedrängten Glaubensgenossen. Doch auch die ruhiger saßen in den Städten, wie viele mußten aus Mangel an Geld darben, ja hungern und frieren! Und wie die unermeßlich wertvolle Bibliotheca palatina, die kurfürstliche Bibliothek in Heidelberg nach Rom geschafft wurde, wie die Schweden eine Reihe wertvoller Manuskripte in ihre Heimat entführten, so wurde auch manch ein Gelehrter persönlich um die Früchte seines Fleißes gebracht, weil seine kostbare Bibliothek bei einer Belagerung oder Plünderung in Flammen aufging. Janus Gruterus in Heidelberg, Johann Balthasar Schupp in Marburg u. a. betraf dies Schicksal.

Daß manche hervorragenden Gelehrten, wie z. B. die Philologen Gronov und Graevius in den

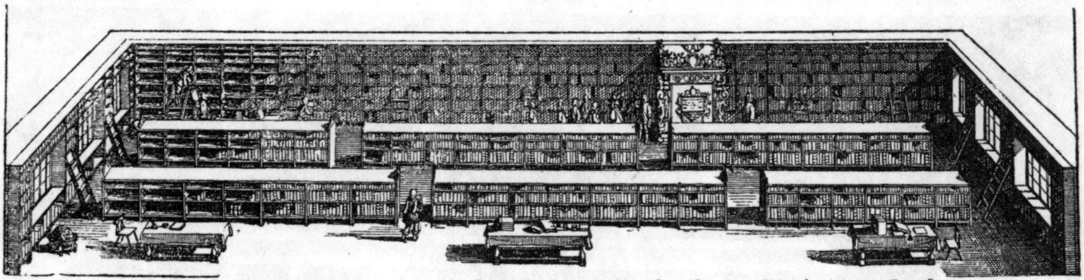

Abb. 109. Bibliotheksraum im 17. Jahrhundert. Wolfenbüttel. Gleichzeitiges Kupfer.

Niederlanden, eine Stellung im Ausland bevorzugten, war eine Folge solcher Zustände.

Trotzdem dürfen die üblen Wirkungen des langjährigen Krieges nicht übertrieben werden. Was der Theologe Johann Gerhard von seinem lieben Jena ausspricht: floret academia nostra sicut rosa inter spinas, es blüht unsere hohe Schule wie eine Rose unter Dornen, das galt auch von einer Reihe anderer Universitäten, mag immerhin die Verwilderung der studentischen Sitten, die Sauf- und Rauflust der Musenjünger damals auf der Höhe gestanden haben. Allein zwei Thatsachen beweisen, daß Deutschland doch auch damals keineswegs ohne Fortschritte auf geistigem Gebiete gewesen ist. Das erste wäre die seit Weckherlin und Opitz datierende Pflege der deutschen Poesie innerhalb der vornehmen und auch der gelehrten Kreise, die, mag sie im Grunde noch so unvolkstümlich gewesen sein, doch jedenfalls als der Anfang zu einer mehr und mehr glorreichen Entwickelung der deutschen Litteratur angesehen werden muß. Das zweite ist, daß mitten unter den wüsten Schrecken eines Glaubenskrieges ein gelehrter Helmstädter Professor der Theologie, Georg Calixtus (1586—1656), wacker unterstützt von seinem Sohne Friedrich Ulrich († 1701), in Schriften und Disputationen das erhabene Ziel verfolgte, eine Versöhnung nicht nur zwischen Lutherischen und Reformierten, sondern auf Grund der ökumenischen Glaubensformeln selbst mit den Katholiken zu Wege zu bringen. Wenn sein Streben auch erfolglos war, so erlitt doch durch ihn die Wittenberger Orthodoxie ihren ersten Stoß, wurden durch ihn viele Gebildete für freiere kirchliche Anschauungen gewonnen. Ähnliche Bestrebungen hörten seitdem nicht auf, allerlei Projekte der Gelehrten hervorzurufen; sie beschäftigten unter andern auch den Geist des großen Leibniz.

In gewisser Beziehung beförderte der Krieg den Fortschritt der Wissenschaften. Er richtete die Gemüter auf das Praktische. Von vielen wurde erkannt, welch geringe Vorteile die alte pedantische Schulgelehrsamkeit für das Leben biete, wie dagegen die Kenntnis der politischen Einrichtungen, der Geographie und Mathematik, der mechanischen und technischen Künste nicht nur für das Kriegswesen, sondern überhaupt für die wirtschaftlichen und geselligen Zustände einer Nation höchst nützlich sei. So wandten vor allem die vornehme-

Abb. 110. Bildnis des Martin Opitz (1597—1639). Kpfr. von J. von Heyden 1631.

Abb. 111. Bibliotheksraum im 17. Jahrhundert. Wolfenbüttel. Gleichzeitiges Kupfer.

ren Kreise den exakten und den sog. Staatswissenschaften ein lebhafteres Interesse zu.

Im Anfange des 16. Jahrhunderts hatten die Städte und das Bürgertum die führende Stellung in dem Leben der Nation gehabt. So hat namentlich die große Bewegung des Humanismus und der Reformation in ihnen den lebhaftesten Wiederhall, die kräftigste Unterstützung gefunden. Hier gediehen auch die technischen Künste und die Erfindungen. Jetzt, im 17. und während des größten Teils des 18. Jahrhunderts waren die Fürsten die vornehmsten Beförderer der Kultur in Deutschland, auch der geistigen. An den Fürstenhöfen pflegten jetzt auch nur die nötigen materiellen Mittel dafür vorhanden zu sein. Die Opposition in den Landständen verstummte, der Absolutismus gewann das Feld, die Bürger und Bauern gewöhnten sich ans Steuerzahlen. Den Leistungen der Fürsten gegenüber blieb das, was von den reichsfreien Städten, auch von denen, die nicht ganz verarmt waren, für die wissenschaftliche Kultur geschah, dürftig; es fehlte hier die rechte Anregung für ein ersprießliches Vorwärtsstreben, der reichsstädtische Bürger hielt fest an seiner alten Sitte und verkümmerte meist in der Enge kleinlicher Philisterhaftigkeit und in der Regel auch konfessioneller Beschränktheit. Das hinderte ihn natürlich nicht, es äußerlich den vornehmen Kreisen, deren gesellschaftliches Ideal etwa seit dem westfälischen Frieden der französische Hofmann war, nach Möglichkeit nachzumachen.

Selbstverständlich konnten sich auch die Gelehrten der zur Mode gewordenen französischen Sitte nicht entziehen. Doch hat dieselbe bei manchen Gruppen von ihnen nur sehr langsam Eingang gefunden. Das zeigte sich z. B. bei der Übernahme der französischen Modetracht. Freilich die alte Gelehrtenschaube verschwindet völlig. Lange Zeit wollte aber vor allem die Geistlichkeit nichts von der Allongeperücke wissen. Erst um die Wende des 17. Jahrhunderts war ihr Widerstand überwunden. Später, wie das so natürlich ist, war sie gar nicht zum Ablegen des außer Mode gekommenen Haarungetüms zu bewegen. Ein ehrbares, nicht prunkendes Äußere wurde überhaupt von Universitätsprofessoren und besonders den „Schulmeistern" gefordert. Freilich wer unter den Gelehrten auf ein vornehmes Wesen bedacht war, mußte sich wohl hüten, nicht etwa in der Tracht als pedantisch und altfränkisch aufzufallen. Die in der Kleidung modern einhergingen, waren oft auch geistig die Vorgeschritteneren. Dem Christian Thomasius, dem wackeren Vorkämpfer für die Vernunft gegen den starren Autoritätsglauben, wurde von seinen Leipziger Gegnern vorgeworfen, daß er in buntem Modekleid mit Degen und zierlichem, goldenem Gehänge das Katheder besteige.

Wie Thomasius von der alten Schulpedanterei nichts wissen wollte, so sahen alle Leute von Welt mit Verachtung auf den Gelehrten der alten Schule herab. Leibniz sprach geringschätzig von einer „mönchischen, in leeren Gedanken und Grillen befangenen Gelehrsamkeit" der Universitäten, deren Ansehen wohl zu keiner Zeit ihres Bestehens geringer war als in dieser Periode. So kam es, daß viele Fürsten und Vornehme überhaupt vom Lernen nichts wissen wollten. Am längsten vielleicht wuchs der preußische Adel in diesen Anschauungen auf. Durch sie bestimmt, erklärte der Kurprinz Karl Emil, „wer lerne und studiere, sei ein Bärenhäuter". Friedrich Wilhelm I. erklärte den großen Leibniz für einen „Kerl, der zu gar nichts, nicht einmal zum Schildwachstehen tauge".

Die Professoren an der Universität zu Frankfurt a. O. verhöhnte er, indem er sie zwang, mit einem seiner lustigen Räte, dem Magister Morgenstern, der das Katheder im lächerlichsten Anzuge bestieg, über das Thema „Gelehrte sind Salbader und Narren" zu disputieren. Von allen Professoren hatte nur ein einziger, der Schwabe Johann Jakob Moser, den Mut, der schmählichen Beschimpfung fern zu bleiben.

Ein Fortschritt der Wissenschaften über ihren aus der Zeit des Humanismus und der Streittheologie überkommenen Betrieb war nur dadurch möglich, daß man sich durchaus auf den Boden eigener Beobachtung stellte und nicht nur der Natur und ihren Geheimnissen gegenüber, sondern überhaupt in allen wissenschaftlichen Fragen dem selbständigen Forschen und einer vernünftigen Kritik den ersten Platz einräumte. In der That sehen wir auch überall im 17. Jahrhundert ein mehr oder minder bewußtes Streben, mit dem überlieferten Autoritätsprinzip in den Kampf zu zu treten. Zum wenigsten werden überall neue Wege eingeschlagen, neue Betrachtungsweisen gefunden und somit dem menschlichen Geiste neue Erkenntnisgebiete erschlossen.

In der Theologie traten die konfessionellen Streitigkeiten, wenn sie auch keineswegs völlig verschwanden, doch wenigstens einigermaßen in den Hintergrund; die hohen Herren, oft selber skeptisch angehaucht, wollten im allgemeinen nicht gern davon hören. Nur natürlich, daß auch der ehemals so mächtige Einfluß der Hoftheologen

Abb. 112. Gelehrter in Allongeperücke. Ärztliche Harnschau. Kpfr. von J. E. Nilson (1721—1788). München, Kupferstichkabinet.

zurückging, daß an ihre Stelle juristisch gebildete Beamte, Männer von politischem, praktischem Geiste traten. Allerdings wirklich gebrochen wurde das starre Joch der in dogmatisch-orthodoxer Rechthaberei verknöcherten Schultheologie erst durch die Neuerweckung des christlichen Lebens, die der Pietismus (Philipp Jakob Spener) im letzten Viertel des 17. Jahrhunderts im Gefolge hatte. Ein aufgeklärter Pietist, Johann Salomo Semler war es, der die heiligen Schriften zum Objekt historisch-kritischer Untersuchungen machte. Seit der Mitte des 18. Jahrhunderts endlich gewann mehr und mehr das Verstandeschristentum des Rationalismus die Herrschaft, um erst im Beginn unsers Jahrhunderts einer gemütvolleren Auffassung des Christentums zu weichen.

In der Jurisprudenz machte Samuel Pufendorf das Natur- und Völkerrecht an den Universitäten heimisch und bemühte sich, das deutsche Staatsrecht von den dominierenden theologischen und juristisch-scholastischen Anschauungen zu reinigen. In den Naturwissenschaften hatten die Deutschen seit Kopernikus und Kepler zwar keine Großthaten aufzuweisen, die denen der Engländer und Holländer gleichzustellen wären, aber erfreuliche Fortschritte zeigen sich hier überall (Guerike, Becher u. s. w.). Nur verrät der deutsche Gelehrte ein „gewisses praktisches Ungeschick, seine theoretisch richtigen und fruchtbaren Ideen nun auch ins Leben einzuführen und zur Geltung zu bringen" (Biedermann). Vor allem aber fehlte es gar sehr an der öffentlichen Aufmunterung der Erfinder.

Das Streben nach Befreiung von der Autorität mußte natürlich auch die abgöttisch verehrten Alten um ihre Hochschätzung bringen. Die Pflege des Griechischen war allerdings schon seit dem Beginn des 17. Jahrhunderts stark zurückgegangen. Die Herausgabe griechischer Autoren kam in Deutschland fast völlig ins Stocken. Es wurde nur allenfalls so viel Griechisch gelernt, wie zum Verständnis des Neuen Testaments in der Ursprache erforderlich schien. Was darüber ging, dünkte der herrschenden Orthodoxie unnütz, wenn nicht vom Übel. Auch die Lektüre der römischen Schriftsteller hatte abgenommen, jedenfalls verlor mit der zunehmenden Entfernung von der Renaissance der lateinische Stil wieder an

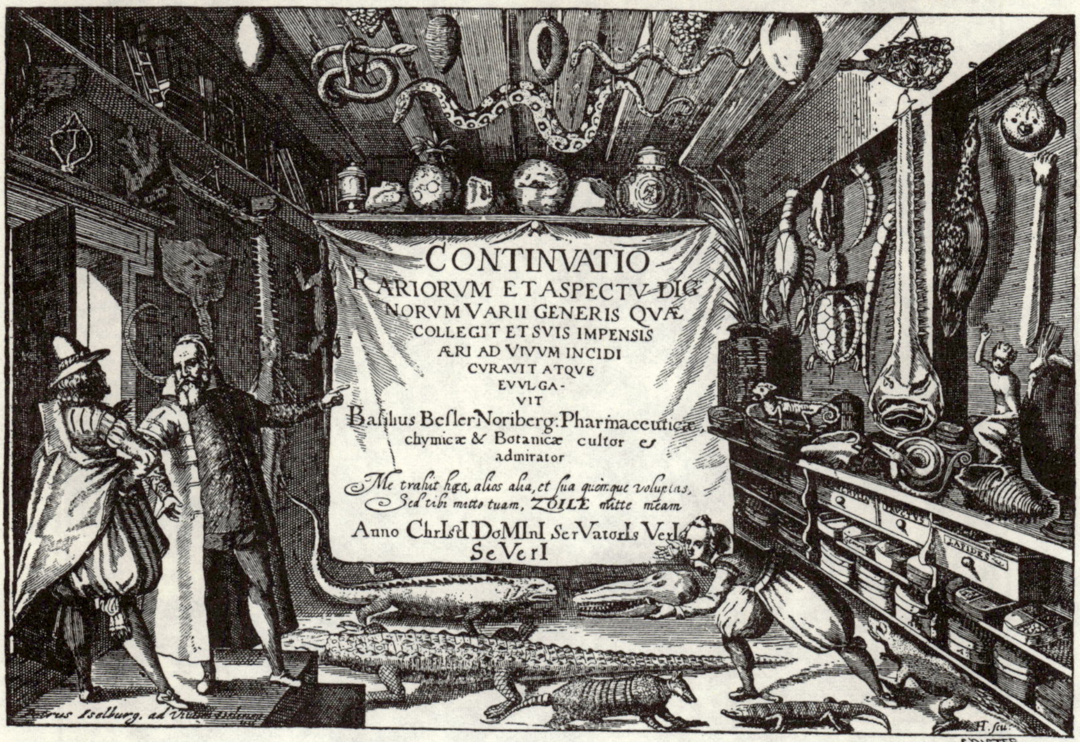

Abb. 113. Naturhistorisches Kabinet. Titelkupfer von P. Isselburg zu B. Besler's Rariora Musei etc. Nürnberg 1622.

Reinheit. Er wurde leicht geziert und schwülstig. Dies zeigt sich auch in den lateinischen Poemen, die ja immer noch massenhaft geschrieben und gedruckt, aber nur im engsten Kreise beachtet wurden. Die Gelehrten, die sich damit abgaben, wurden mitleidig belächelt. Es war vorbei mit dem althumanistischen Ideal. Selbst die verstocktesten Philologen hörten jetzt auch auf, ihre Namen nach Humanistenart zu latinisieren oder gräzisieren, sie begnügten sich damit, ihren Namen allenfalls ein us anzuhängen, wie Jungius, Schuppius u. s. w. Natürlich aber gab es noch auf lange hinaus Männer wie jenen Paten Heyne's, einen Geistlichen, der „die Eitelkeit hatte, ein guter Lateiner und, was noch mehr ist, ein lateinischer Versmacher und folglich ein Gelehrter sein zu wollen". Übrigens hat die antike Philologie auch in diesen in Deutschland ihr ungünstigen Zeiten stets eine ansehnliche Zahl gelehrter Kräfte beschäftigt. Namentlich das Studium der Altertümer stand in hoher Gunst auch bei den Vornehmen. In Raritäten- und Kunstkammern, wie solche schon zur Humanistenzeit von den Pirckheimer, Peutinger, Fugger, Welser u. a. angelegt worden waren, wurden Münzen und Medaillen, geschnittene Steine und andere Antiquitäten in großer Menge aufgehäuft und eigene Gelehrte dazu angestellt, die als fürstliche Antiquare diese Schätze hüten und meist auch bearbeiten sollten. Die Frucht dieser Bemühungen waren reich ausgestattete Prachtwerke, die noch heute für die Altertumswissenschaft vielfach von Wert sind.

Die Angriffe gegen die übertriebene Wertschätzung der Alten gingen von zwei Seiten aus, von der rationalistisch-naturwissenschaftlichen, auf die Vernunft und Erfahrung bauenden, und von der pietistischen Seite. Die erste Richtung, die allerdings Gefahr lief, in einen platten Utilitarismus zu verfallen, war die bei weitem gefährlichere. Ihr redeten die Reformpädagogen Ratich und Comenius das Wort, und selbst ein Mann wie der berühmte französische Philosoph Descartes erklärte das Studium der antiken Sprachen geradezu für unnütz. Diese praktische Tendenz hatte aber nun das große, für den Fortschritt des gelehrten Wesens in Deutschland nicht genug zu schätzende, wohlthätige Er-

Abb. 114. Satire auf die Unbrauchbarkeit der Philosophie. Kpfr. von J. Wolff. 18. Jahrhundert.
Nürnberg, Germanisches Museum.

gebnis zur Folge, daß an Stelle der lateinischen Sprache das Deutsche nach und nach in die Kreise der Gelehrten eindrang. Eines kühnen Mannes namentlich muß hier gedacht werden, des Christian Thomasius, eines Leipziger Professorensohnes wie Leibniz, berühmt als einer der ersten Vorkämpfer der deutschen Aufklärung gegen Hexenwahn und Aberglauben aller Art. Thomasius machte den Anfang damit, dem Deutschen auf den Kathedern Heimatsrechte zu erwerben. Er wagte es, 1687 eine Ankündigung zu einer deutschen Vorlesung in deutscher Sprache in Leipzig an das schwarze Brett anzuschlagen. Er unternahm es, in einer gleichfalls deutsch abgefaßten Monatsschrift den verderbten Zustand der Wissenschaft und der Sitten seiner Zeit, den Pedantismus und die Scheinheiligkeit der Gelehrten zu geißeln. Er trat für einige junge Leipziger Theologen — darunter den später als Stifter des Hallischen Waisenhauses so berühmt gewordenen August Hermann Francke —, deren pietistische Richtung in den Augen der Orthodoxen eine sträfliche Neuerung war und die gleichfalls deutsch zu lesen wagten, furchtlos und energisch in die Schranken; eine Vereinigung zweier völlig verschieden gearteter Richtungen, die an den Bund Luthers mit den Humanisten im Kampfe gegen den Aristoteles erinnert. Sie wurden denn auch beide von der Universität als revolutionäre Elemente ausgeschieden. Denn die Macht der Männer der alten Schule war noch ungebrochen. Da Thomasius sich auch sonst durch sein freimütiges Auftreten die Ungnade des kursächsischen Hofes zugezogen hatte, traf ihn 1690 das Verbot, noch ferner in Leipzig Vorlesungen zu halten oder etwas ohne Zensur drucken zu lassen. Er sah sich genötigt, ins Brandenburgische zu flüchten, wo er mit den gleichfalls dorthin ausgewanderten Leipziger Pietisten den Grundstock des Lehrerkollegiums der 1694 gegründeten Universität Halle bildete, die von nun an lange Zeit die unbestrittene Führung unter allen deutschen Universitäten hatte. Ihre erste Leuchte wurde bald der berühmte Philosoph Christian Wolf, der meist deutsch schrieb und deutsch lehrte und so der Schöpfer der philosophischen Kunstsprache in Deutschland wurde.

Allmählich wurde das Deutsche aber selbst für spezifisch philologische Schriften gebräuchlich. Die von 1715 bis 1723 in Halle herauskommende „Neue Acerra philologica", eine Sammlung von Abhandlungen zur Erläuterung der klassischen Altertümer, erschien in deutscher Sprache, die auch in den Grammatiken und anderen Lehrbüchern der lateinischen Sprache die Alleinherrschaft streitig machte. Freilich war das Deutsche noch auf lange hinaus stark mit lateinischen und französischen Brocken gespickt. Wer gelehrt sein wollte, prunkte gern damit. Es genügt aber, den einen Namen Lessing zu nennen, um sich dessen bewußt zu werden, welchen unvergleichlichen Aufschwung die deutsche — auch die gelehrte — Prosa im Laufe des 18. Jahrhunderts nehmen sollte.

Die lateinische Prosa und erst recht die lateinische Poesie traten nun zwar zurück. Nur für

Abb. 115. Bildnis des G. W. von Leibniz (1646—1716). Aus dem Kpfr. von F. Ficquet.

Abb. 116. Bildnis des Christian Thomasius (1655—1728). Kpfr. von M. Berningroth.

strengwissenschaftliche Arbeiten, namentlich im internationalen Verkehr, hat sich jene, freilich mehr und mehr abnehmend, noch bis auf den heutigen Tag — nicht ohne Grund — erhalten. Die Wissenschaft und das Verständnis des klassischen Altertums im allgemeinen aber erfuhren eine wunderbare Neubelebung und Vertiefung. Und wie es in der deutschen Gelehrtengeschichte so oft der Fall war, übernahm auch hierin wieder eine neue Hochschule, die 1734 gegründete Göttingische Universität, deren Einfluß auch für die historischen und Staatswissenschaften (Gatterer und Pütter) ein sehr bedeutender wurde, die Führung. Der Göttinger Professor Johann Matthias Gesner (1691—1761) wurde gewissermaßen der Reformator der klassischen Studien in Deutschland. Namentlich das Griechentum war es, dessen noch fast jungfräuliches Bild herrlicher als je zuvor vor den entzückten Blicken der Deutschen aufstieg. Künstler und Gelehrte, Winckelmann und Lessing, Heyne und F. A. Wolf, Schiller und Goethe, haben daran gearbeitet; eine unendliche Fülle von Geist und Herz und Phantasie mußte ihre Bemühungen zum Siege führen. Unter dem Einfluß dieses „Neuhumanismus“ stehen wir noch heute. Und auch in Zukunft dürfte der innere Wert der antiken Litteratur und Kunst diese vor dem Schicksal bewahren, gleich der scholastischen Weisheit des Mittelalters in die gelehrte Rumpelkammer zu wandern.

Ein mächtiges, als unerschütterlich angesehenes wissenschaftliches Reich aber gab es, dem der auf die exakte Forschung gerichtete Geist des Zeitalters für immer verhängnisvoll werden sollte. Das war das des Aristoteles mit seiner länger als ein halbes Jahrtausend währenden Herrschaft in der Philosophie. Zwar wir wissen, welche Wandlungen es durchgemacht hatte. An Stelle der mittelalterlichen, oft ganz falschen Übersetzungen und ihrer häufig ebenso ungenügenden Kommentare waren im Laufe des 16. und 17. Jahrhunderts zwar nicht die von den Humanisten hervorgeholten Originale, aber doch auf Grund derselben verbesserte Übersetzungen oder vielmehr in der Hauptsache kurzgefaßte Kompendien getreten, die dem Schul- und Universitätsunterricht zur Grundlage dienten. Diese aber behaupteten sich. Die aristotelische Philosophie, nüchtern, maßvoll und verständig, bot eben ein fest gefügtes System, welches anderswo nicht zu haben war. In dies System hatte Aristoteles alle für seine Zeit in Betracht kommenden Wissenszweige eingegliedert, die meisten davon in eigenen Lehrbüchern behandelt. Der Gesichtskreis eines Stubengelehrten des 16., ja noch des 17. Jahrhunderts war aber noch nicht viel weiter geworden. So blieb Aristoteles in Ansehen bis tief ins 18. Jahrhundert hinein. Neuere philosophische Systeme, wie das des Petrus Ramus, die „Ramisterei“, des Cartesius, geschweige denn des Spinoza, wurden verdächtigt und an den Universitäten nicht gelitten. Selbst die Leibniz-Wolfische Philosophie in der ersten

Hälfte des 18. Jahrhunderts ist nur mit Mühe gegen den Aristoteles aufgekommen. Ja in dem orthodoxen Wittenberg gelang ihre Aussperrung noch bis zum Ende des Jahrhunderts.

Kaum irgend wann und wo in den neueren Zeiten ist ein hervorragender Gelehrter so schnöde behandelt worden wie der deutsche Philosoph Christian Wolf an der Universität Halle. Seine Feinde, die pietistischen Theologen daselbst, ein Lange und leider auch der sonst so bewundernswerte Francke, haßten Wolf wegen seiner angeblich atheistischen Anschauungen, mit denen er die studierende Jugend verdürbe. Es wurde dem in solchen Dingen ganz geistesbeschränkten Könige Friedrich Wilhelm I. eingeredet, der Philosoph lehre einen Fatalismus, der z. B. besage, „wenn einige seiner langen Grenadiere desertirten, so hätte es das Fatum so haben wollen und er (der König) thäte Unrecht, sie zu bestrafen, weil sie dem Fatum nicht widerstehen könnten." Der Monarch war darüber so aufgebracht, daß er in der berüchtigten Kabinetsordre vom 8. November 1723 Wolf nicht nur sofort seiner Professur entsetzte, sondern ihm auch „die sämtlichen königlichen Lande binnen 48 Stunden bei Strafe des Stranges zu räumen" befahl. Die Strafe eines gemeinen Verbrechers für einen deutschen Philosophen des 18. Jahrhunderts! Sie war selbst manchem der muckerischen Theologen zu stark. Lange konnte drei Tage lang nicht schlafen und nicht ordentlich essen und trinken, vor Entsetzen darüber, was er beinahe angerichtet hätte. Francke freilich dankte Gott auf den Knieen für die Erlösung von „dieser großen Macht der Finsternis" — der Ausdruck wird sonst bekanntlich im umgekehrten Sinne gebraucht — und schämte sich nicht, die erzwungene, plötzliche Flucht Wolfs und seiner hochschwangeren Frau auf der Kanzel als ein göttliches Strafgericht zu bezeichnen. Noch mehr Grund zum Frohlocken hatten die frommen Eiferer, als der König 1727 die Verbreitung aller „atheistischen Schriften", darunter der Wolfischen Metaphysik und Moral, bei „lebenslänglicher Karrenstrafe", das Halten von Vorlesungen darüber bei Kassation und einer Geldbuße von 100 Dukaten verbot. Friedrich Wilhelm hat aber hernach wieder mildere Saiten aufgezogen, ja er wollte den Philosophen sogar wieder zurückhaben, hauptsächlich allerdings nur aus dem Grunde, weil Wolf durch seine Lehrthätigkeit sehr günstig auf die Frequenz der Universität einwirkte und dadurch Geld ins Land brachte. „Denn Preußen", erklärte der geistreiche und gebildete Graf Manteuffel, „ist ein Land, wo man die Gelehrten nur so weit schätzt, als sie dazu dienlich scheinen, die Accise-Einkünfte zu vermehren." Doch erst als der aufgeklärte neue König Friedrich der Große ihn rief, kehrte Wolf heim nach Halle wie ein Triumphator, eine Rolle, die, wie Biedermann bemerkt, einem Weltweisen entschieden weniger gut anstand als die eines

Abb. 117. Bildnis des Christian von Wolf (1679—1754). Kpfr. von J. G. Wille.

Abb. 118. Bibliothek zu Frankfurt im Jahre 1610. Kpfr. von Jöster nach M. Hailler. Leipzig, Bibliothek des Börsenvereins deutscher Buchhändler.

Geächteten, die ihm vor 17 Jahren ohne sein Verschulden zugefallen war.

Daß die Freiheit der Wissenschaft seitdem keinerlei Anfechtungen mehr in Deutschland zu erfahren gehabt hätte, kann man nun freilich nicht behaupten. Friedrich der Große freilich wollte von einer Beschränkung der Lehr- und Preßfreiheit nichts wissen. Wolfs ungleich größerer Nachfolger aber, der Königsberger Weltweise Immanuel Kant (1724—1804), Deutschlands hellster Stern am Gelehrtenhimmel, mußte sich dem von übereifrigen Frommen irregeleiteten Könige Friedrich Wilhelm II. gegenüber noch am Abend seines Lebens (1792) schriftlich verpflichten, „sich fernerhin aller öffentlichen Vorträge, die Religion betreffend, es sei die natürliche oder geoffenbarte, sowohl in Vorlesungen als in Schriften gänzlich zu enthalten". Wie dann im 19. Jahrhundert freidenkende Naturforscher und Historiker, Theologen und Philosophen in den Zeiten siegreicher Reaktion behandelt worden sind, ist den älteren unter unsern Lesern noch in unerfreulicher Erinnerung. Aber auch die Jungen wissen, daß noch heute die Äußerung einer den kirchlichen und staatlichen Behörden unlieben wissenschaftlichen Überzeugung nicht nur bei katholischen Theologieprofessoren geahndet wird. —

Die große Umwälzung des 18. Jahrhunderts vollzog sich auf allen Gebieten wissenschaftlicher Arbeit. Überall sehen wir eigene Forschung und einen selbständigen, kritischen Geist an die Stelle der gläubig hingenommenen Tradition einer kanonischen Lehre treten. Dieser Geist, in vielem vertieft und verfeinert, ist der deutschen Wissenschaft seitdem verblieben, und wir dürfen sagen, er fand und findet noch seinen glänzendsten

Abb. 119 Bibliothek des berühmten Arztes Dr. med. Christoph Jac. Trew zu Nürnberg. Kpfr. von J. M. Stock nach J. C. Keller. Leipzig, Bibliothek des Börsenvereins deutscher Buchhändler.

Ausdruck an den deutschen Universitäten. Von ihnen ist seit der Wende des 17. Jahrhunderts der geistige Fortschritt ausgegangen. Es muß dies wohl betont werden, da in katholischen Ländern, aber auch z. B. in England die Universitäten noch lange, lange scholastisch blieben und der freie Geist nur in den Akademien und in der Litteratur sich regen konnte. Allerdings galt im ganzen 18. Jahrhundert das wissenschaftliche Forschen noch nicht eigentlich als die Aufgabe des Universitätsprofessors, und es lag ihm auch nicht ob, die Studenten dazu vorzubilden. Die Aufgabe seiner Vorlesungen war immer noch, „das Nötigste von den Wissenschaften" zu bieten. Erst in unserm Jahrhundert hat sich als die „eigentliche Aufgabe des Universitätsstudiums die Einführung in die wissenschaftliche Forschung" festgesetzt (Paulsen).

Die zunehmende Unabhängigkeit der Wissenschaft hatte nun auch die wichtige und wohlthätige Folge, daß es jetzt weit mehr Gelehrte gab, die mit dem geistlichen Stande nichts mehr zu thun hatten. Allerdings war noch am Ende des 18. Jahrhunderts die theologische weitaus die stärkste von allen Fakultäten. Die philosophische galt immer noch als allgemein-wissenschaftliche Vorschule der oberen; ja es war Sitte geworden, daß sie keine eigenen Inskriptionslisten führte. Wer philologische oder historische oder auch naturwissenschaftliche Studien treiben wollte, pflegte sich daher in der Regel in das Album der theologischen Fakultät einschreiben zu lassen. Erst seit Anfang des 19. Jahrhunderts begann auch die philosophische Fakultät ein eigenes Album zu führen. Erst in diesem Jahrhundert vollzog sich auch die völlige Emanzipation der gelehrten Berufe vom geistlichen Stande.

Abb. 120. Der Büchernarr vom Tode besucht. Allegorie. Kpfr. aus dem 18. Jahrhundert. Leipzig, Bibliothek des Börsenvereins deutscher Buchhändler.

Auch in den mehr äußerlichen Daseinsbedingungen des Gelehrten haben sich in den letzten Jahrhunderten mannigfache Veränderungen vollzogen.

Die Hilfsmittel für das gelehrte Studium seitens der staatlichen (und städtischen) Behörden flossen zusehends reichlicher. Die öffentlichen Bibliotheken wurden mit der Zeit größer an Umfang und besser fundiert — viel erhielten sie immer noch nicht, meist nur ein paar hundert Thaler. Die erste, die auch den Studenten geöffnet war, soll die Göttinger gewesen sein. Das war der erste Schritt zu einer neuen Zeit für die Bibliotheken. Allerdings waren sie auch noch im 18. Jahrhundert meist nur wenige Stunden in der Woche geöffnet und etwa von einem Stadtpfarrer oder Professor im Nebenamt verwaltet, ebenso wie die zahlreichen städtischen, kleinfürstlichen oder Kirchenbibliotheken oder die nicht ganz selten von wohlhabenden Privaten für den öffentlichen Nutzen gestifteten Büchereien. Die alten Bibliotheken, deren sich ja eine gute Zahl bis auf den heutigen Tag erhalten hat, ließen zwar hinsichtlich der Feuersicherheit manches zu wünschen übrig, dafür boten sie in Bezug auf ihre Ausstattung viel Interessantes. In hölzernen, oft bemalten, nicht selten verschließbaren Schränken wurden die Bücherschätze aufbewahrt, denen oft der Wurm nachging; von der Decke hing wohl ein kleiner Haifisch oder eine Schildkrötenschale herab, und allerlei Raritäten, wie ein Narwalshorn, eine Rose von Jericho, ein indischer Götze, wurden zusammen mit den Andenken an berühmte Männer den wohl nicht eben häufigen Besuchern gezeigt. Mit dem Katalogisieren haben sich die alten Bibliothekare meist nicht viel abgegeben, die Bibliotheken waren ja auch nur klein, und wer etwas länger an ihnen angestellt und nur ein wenig fleißig war, kannte sich in ihren Beständen bald aus. Solche Bibliothekars- und ähnlich auch die Archivarsposten waren mehr eine Sinekure, durch die denn auch so manchem hervorragenden Gelehrten, von Leibniz über Lessing zu Hoffmann von Fallersleben, die Möglichkeit der Existenz und des wissenschaftlichen Arbeitens gewährt worden ist.

Allerdings so wie heute, wo eine angemessen dotierte Universitätsbibliothek dem Dozenten die Anschaffung einer nennenswerten Bibliothek überhaupt zu ersparen pflegt, lagen die Verhältnisse damals noch lange nicht. Bei dem massenhaften Arbeiten, bei der Richtung auf die Polyhistorie, wie sie im 18. Jahrhundert noch immer vorherrschte, wäre es auch garnicht möglich gewesen, daß viel mehr als ein Gelehrter aus der öffentlichen Bibliothek seines Wohnorts seine geistige Nahrung hätte schöpfen können. Der Gelehrte mußte sich daher den Büchervorrat, den er brauchte, meist selbst beschaffen und er that es gern, denn die Bibliophilie steckte dem alten Geschlecht in Fleisch und Blut. Seine Bibliothek war der ganze Stolz des Gelehrten. Wir staunen, wenn wir die zahlreichen gedruckten Kataloge von solchen nach dem Tode des Besitzers zur Auktion gestellten oder sonst für eigene oder andere gelehrte Zwecke verzeichneten Bibliotheken durchblättern. Bibliotheken von 10 000 bis 20 000 Bänden waren nichts seltenes; ja es gab solche wie die des Polyhistors

Vniversitats Bibliothec. deren Saal 100. Fuß lang und 40. Fuß breit ist.	Bibliotheca Büloviana Academiæ, Georgiæ Augustæ, donata. cujus Atrium 100. Pedes longum et 40. Pedes latum est.

Abb. 121. Universitätsbibliothek zu Göttingen im 18. Jahrhundert. Kpfr. von G. Daniel Heumann (1691—1759). Nürnberg, Germanisches Museum.

Abb. 122. Naturalienkabinet im 17. Jahrhundert. Kpfr. von Veron. Nürnberg, Germanisches Museum.

und geschätzten Arztes Gottfried Thomasius (1660—1746) in Nürnberg, die mehr als 30000 Bücher zählte, oder die des streitbaren Theologen Valentin E. Löscher (1673—1749), zuletzt in Dresden, die auf 50000 Bände anwuchs. Die Geistlichen gingen überhaupt meist mit gutem Beispiel voran, selbst einfache Landpastoren brachten ansehnliche Bibliotheken zusammen. Freilich war ja auch die wissenschaftliche Arbeit in den alten Pfarrhäusern bei weitem heimischer als in den heutigen. Stattliche Bibliotheken wurden auch noch von vielen Gelehrten des 19. Jahrhunderts zusammengebracht: je mehr wir uns aber den heutigen Zeiten nähern, wird das immer seltener, und das meiste, was heute an Büchern in der Bibliothek eines namhaften Professors zusammenkommt, sind Geschenke.

Charakteristisch für die alte Zeit ist ferner, daß die Gelehrten ihre Lust am Sammeln auch auf alle möglichen anderen Gegenstände erstreckten und so ansehnliche Naturalien-, Münz- und Kupferstichkabinette, Antiquitätensammlungen u. dgl. m. zusammenbrachten. Der Altdorfer Jurist Eucharius Gottlieb Rinck (1670—1746) sammelte sogar Gewehre und Schnupftabaksdosen mit großem Aufwand. Dies Sammeln von Raritäten war freilich ein Gebiet, auf dem der eigentliche Berufsgelehrte von dem wohlhabenderen gelehrten

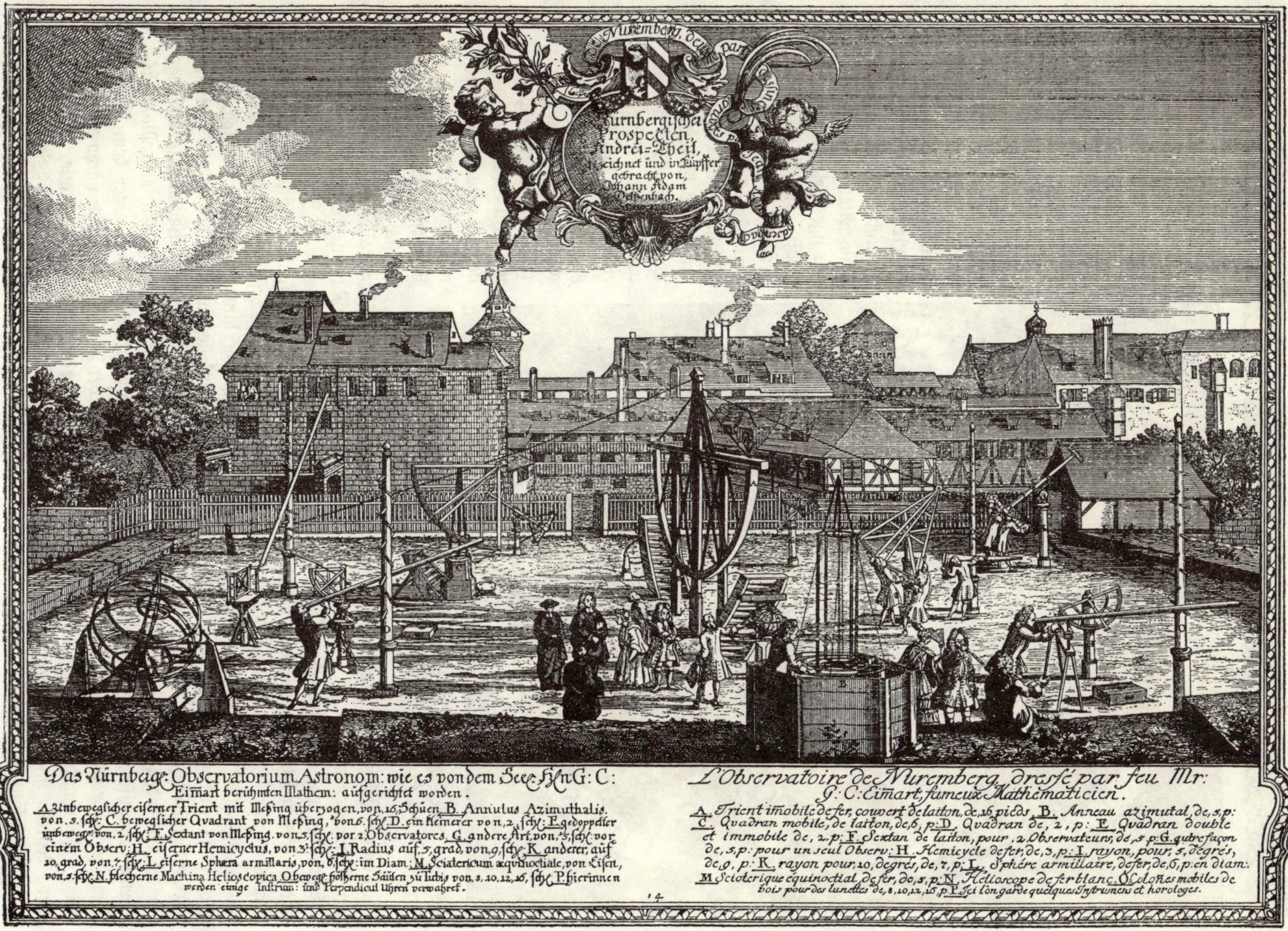

Abb. 123. Das astronomische Observatorium zu Nürnberg, begründet von Eimmart 1716. Kpfr. von Joh. Adam Delsenbach. Koburg, Kupferstichkabinet. Le Bl. 6.

Abb. 124. Eine Sitzung der fruchtbringenden Gesellschaft zu Köthen in der ersten Hälfte des 17. Jahrhunderts. Gleichzeitiges Kpfr. von P. Isselburg.

Dilettanten, Fürsten, Patriziern u. s. w., meist weit übertroffen wurde.

Wichtiger war es, daß gelehrte Dilettanten sich eigene astronomische Observatorien einrichteten, wie Eimmart (1638—1705) (Abb. 123) und Wurtzelbauer, später unter dem Namen von Wurtzelbau geadelt (1651—1725), in Nürnberg, Hevelius (1611—1687) in Danzig. Mehr und mehr aber nahmen sich die Behörden dieser Dinge an, und Sternwarten, botanische Gärten, anatomische Theater, chemische Laboratorien entstanden schon im Laufe des 17. Jahrhunderts an den meisten Universitäten, Lehrern und Studierenden eine willkommene Unterstützung. Freilich war es noch ein weiter Weg bis zu den heutigen, mit Instrumenten von geradezu raffinierter Accuratesse ausgerüsteten wissenschaftlichen Instituten, deren erste Vorbilder meist im Ausland, in Frankreich und England, zu suchen sind.

Ein anderes Zeichen der neuen Zeit sind die gelehrten Gesellschaften und Akademien. Schon der Mathematiker Jungius in Rostock stiftete 1622 mit einigen Freunden eine von der Universität ganz unabhängige gelehrte Gesellschaft, die sog. societas ereunetica oder zetetica, deren Zweck sein sollte, die „Wahrheit aus der Vernunft und Erfahrung sowol zu erforschen als sie, nachdem sie gefunden, zu erweisen.“ Die Vereinigung bestand freilich nur wenige Jahre. Im Jahre 1652 konstituierte sich unter dem Namen „Academia naturae curiosorum“ eine Gesellschaft von Naturforschern und Ärzten, die sich der Gunst und Unterstützung der deutschen Kaiser zu erfreuen hatte und daher später den Namen „Academia Caesarea Leopoldino-Carolina“ annahm. Ihr Sitz wechselte, so auch seltsamer Weise ihre Bibliothek und ihre Sammlungen. Sie besteht heute noch. Eine nach ihrem Muster geplante Gesellschaft, das sog. historische Reichskollegium zu Ende des 17. Jahrhunderts kam nicht über einige kümmerliche Anfänge hinaus. Nach Leibnizens großartigem Plane stiftete König Friedrich I. 1700 unter dem Namen „Societät der Wissenschaften“ die nachmals so berühmt gewordene Berliner Akademie, die freilich unter dem Soldatenkönig Friedrich Wilhelm I. auf einen Hungeretat gesetzt und erst von Friedrich dem Großen neu organisiert wurde. Die

„Königliche Societät", nachher „Gesellschaft der Wissenschaften", in Göttingen wurde 1752 gegründet. Später wurde die Zahl der gelehrten Gesellschaften Legion. Wohl an jeder Universität bestanden in der Zopfzeit ein oder mehrere wissenschaftliche oder litterarische Zirkel, häufig „deutsche Gesellschaften" genannt, deren Mitglieder im Hause eines ihrer Angehörigen meist am Abend zusammenzukommen, sich gegenseitig ihre Arbeiten vorzulesen und darüber zu diskutieren pflegten, ja wohl auch kleine Publikationen herausgaben. Mancher heute blühende naturwissenschaftliche und historische Verein reicht mit seinen Wurzeln bis ins 18. Jahrhundert zurück. Neben die häufig auch in den kleinsten Orten blühenden wissenschaftlichen Lokalvereine sind dann in der ersten Hälfte des 19. Jahrhunderts die gelehrten Wanderversammlungen, die fachwissenschaftlichen Kongresse und „Tage" getreten, die sich heute ganz besonderer Beliebtheit erfreuen und das Gute haben, auch die internationalen Beziehungen zu pflegen.

Zur Signatur der neueren Zeit gehören ferner die gelehrten Zeitschriften, die in Deutschland etwa mit den 1682 begründeten, noch in lateinischer Sprache herausgegebenen Acta eruditorum den Anfang machen. Sie bewirkten, daß das Briefschreiben der Gelehrten nach und nach zurückging: heute ist es bekanntlich nur ein Schatten seiner früheren Bedeutung. Auch der Gelehrte von heute benützt bei seinen Anfragen mit Vorliebe die Postkarte, womöglich mit angebogener Rückantwort und wohl gar mit Ansicht.

Eine allgemein und auch in den gelehrten Kreisen während des 17. und 18. Jahrhunderts vielgeübte Sitte ist heute freilich fast ganz verschwunden, das ist das langjährige Reisen, gewöhnlich auch ins Ausland, das früher nicht sowohl zum Vergnügen — das war das Reisen damals meist immer noch nicht — als vielmehr zur Belehrung unternommen wurde. Gewiß schadete es nichts, daß viele arme Gelehrte nur in untergeordneter Stellung, etwa als Hofmeister von Prinzen und jungen Adeligen, an diesem Bildungsmittel teil hatten, sie bekamen dadurch doch etwas von der Welt zu sehen. Für die eigentlich wissenschaftliche Reise zum Besuch von Universitäten und hervorragenden Gelehrten — die man gewissermaßen zu „interviewen" pflegte, noch Goethe mußte

Abb. 125. Gelehrter aus dem 18. Jahrh. Kpfr. von C. B. Glasbach. Nürnberg, Germanisches Museum.

sich das oft genug gefallen lassen — hatte man sogar einen eigenen Fachausdruck, sie hieß peregrinatio academica. Es ist die Frage, ob das Studieren an mehreren Universitäten, wie es sich heute vermögendere Studenten leisten können, jene alte, jetzt völlig aus der Mode gekommene Sitte zu ersetzen vermag, zumal doch auch früher trotz aller landesväterlichen Gebote für die Landeskinder ein rühriger Student meist mehr als eine Universität zu besuchen pflegte. Selbst der Professorenwechsel, namentlich bei jüngeren Dozenten, war ehemals nicht so selten, wie im allgemeinen angenommen wird. Allerdings finden wir viele bedeutende Gelehrte, unter ihnen vor allen den hervorragendsten, Kant, die mit treuer Anhänglichkeit auf ihrem Posten als Universitätslehrer, auf den sie einmal das Schicksal gestellt hatte, verharrten. Noch herrschte der Drang nach der alleinseligmachenden Zentrale, der viele die ehemals namhaftesten Universitäten nur als Übergangsstationen ansehen läßt, nicht in den Gemütern der Professoren.

Und der allgemeine Typus des deutschen Gelehrten, welche Umgestaltungen hat er in diesen veränderten Zeiten erfahren? Suchen wir ihn uns vorzustellen, wie er um die Wende des 17. und 18. Jahrhunderts beschaffen war. Das Gesicht ist meist bartlos, allenfalls noch wie im früheren 17. Jahrhundert mit einem kleinen Schnurrbärtchen und auch wohl einer winzigen Bartfliege geziert, was ihm — auch dem Geistlichen — etwas kokett kavaliermäßiges verleiht. Nie fehlt bei öffentlichem Auftreten eine gewaltige Allongeperücke. In der Hand trug ein Mann von Stande — und jeder angesehenere Gelehrte gehörte dazu — gewöhnlich einen großen Rohrstock mit einem Knaufe von Gold oder Elfenbein, an der Seite einen Degen. Eine Tabacksdose und die beschmutzten Kleider bezeichneten den Schnupfer, bald sollte auch das Tabakrauchen bei den Gelehrten viele und begeisterte Anhänger finden. Die Haltung ist voll Würde und Grandezza. Mußten doch auch in Leipzig die Soldaten vor Magnificus, dem Rektor der Universität, präsentieren, wurden doch die Professoren der Theologie daselbst mit Excellentia betitelt. Mit dem gewichtigen Äußern harmoniert das Innere. Die Gelehrsamkeit ist eine ungeheure, weitschichtige, profunde. Es ist die Blütezeit der Polyhistorie in Deutschland, die ja freilich in der alten Gelehrtenwelt zu allen Zeiten einen sehr viel größeren Anhang gehabt hatte und auch im früheren Verlaufe des 17. Jahrhunderts durch Männer wie Goldast, Conring, Morhof, Meibom, den Jesuiten Athanasius Kircher u. a. repräsentiert worden war. Die antiken Beinamen der Gelehrten wurden wieder zur Wahrheit. Der Wittenberger Professor Conrad Samuel Schurtzfleisch (1641—1708) wurde eine „lebendige Bibliothek", ein „wandelndes Museum" genannt, der Hamburger Schulprofessor Johann Albert Fabricius (1668—1736) ist mit dem Grammatiker Didymos, den das Altertum „Chalkenteros", den Mann mit den ehernen Eingeweiden nannte, verglichen worden. Leibniz, bemerkte Friedrich der Große, „stelle für sich allein eine ganze Akademie vor." Man erzählte von Gelehrten, die, um Zeit zu sparen, selbst bei der Mahlzeit studierten, ja wohl sich niemals auskleideten und im Eifer des Studierens mit Gefahr für ihr Leben ihre natürlichen Bedürfnisse zu befriedigen unterließen. Brautschaft und Heirat war den meisten nur eine unbequeme Störung ihrer gelehrten Ruhe, man suchte je schneller je besser darüber hinwegzukommen. Allerdings pflegten sich dann in stiller, fleißumwobener Häuslichkeit die kleinen Erdenbürger nicht eben gerade selten einzustellen, was einen Magister Fiebiger veranlaßte, eine „tiefsinnige" Abhandlung de polyteknia eruditorum zu schreiben. In Leipzig war der „Kindersegen der Gelehrten" geradezu sprichwörtlich. Die Professoren bildeten hier eine festgeschlossene Zunft und Vetternschaft, es gab förmliche Gelehrtendynastien, die denn auch mit Vorliebe denselben Vornamen zu führen pflegten, so die Benedikt Carpzov, die Polycarp Lyser.

Daß jetzt Gelehrte wiederholt — und später bis in unsere Tage immer mehr — geadelt wurden, ist auch ein Zeichen der neuen Zeit, aber kein gutes. In den Zeiten der Blüte des Bürgertums waren ein Luther und Melanchthon oder ein Erasmus für sich allein eine Macht gewesen, vor denen wohl Fürsten und Adelige gezittert hatten. Wie lächerlich, bemerkt Paulsen, hätte es da geklungen: ein Herr von Luther oder ein Ritter von Melanch-

Abb. 126. Empfang des Curatoren und des Prokanzlers der Universität Altdorf durch die Professoren. 18. Jahrh. Kpfr. von Puschner. Nürnberg, Germanisches Museum.

thon. Aber ein Freiherr von Pufendorf, von Leibniz, von Wolf, das klingt ganz annehmbar. Daß diese „Erhebung" in den Adelstand in der That eine Zurücksetzung des Gelehrten gegenüber dem Adel bedeutet, dafür haben die wenigsten in dem Stande selbst, geschweige denn die übrige Welt, ein Verständnis gehabt.

Von dem Gelehrten in der Zeit der Perücke ist der mit dem Zopf nicht so sehr verschieden. Vielleicht ist das spezifisch Zopfige stärker bei ihm entwickelt. Der Gelehrte im geblümten Schlafrock, in dem er wohl auch Besuche empfing, und in der Nachtmütze (damals herrschte das Vorurteil, es sei gut, den Kopf warm zuhalten) ist eine nicht unbekannte komische Figur, dem deutschen Michel entsprechend. „Die überfleißigen Gelehrten", schrieb ein Professor um die Wende des 18. Jahrhunderts von seinen Kollegen, „sehen andere Menschen so wenig, daß sie in Rücksicht des geselligen Lebens beständig eine Art von Halbwilden bleiben; es fehlt noch viel daran, daß der größte Teil der akademischen Gelehrten aus Männern bestünde, die man außer ihrem Kreise in gemischte Gesellschaft führen könnte, ohne daß sie Anstoß oder Stoff zum Lächeln gäben." Erst in der letzten Zeit sei das besser geworden.

Immer noch herrschten im 18. Jahrhundert die „soliden Gelehrtengewohnheiten vor, das Schwelgen in weitschichtigem Stoff, die geduldige Anhäufung von Thatsachen" (Scherer). Noch immer wurden gewichtige Folio- und Quartbände zu den gelehrten Publikationen bevorzugt. Aber der Gelehrte war doch populärer geworden. Das machte die Aufklärung. Thomasius und Wolf hatten Schule gemacht, nicht nur bei den Gelehrten, sondern auch bei den Gebildeten, selbst bei den Frauen. Die Frauen werden jetzt überhaupt geist- und kenntnisreicher, bis sie um die Wende des 18. Jahrhunderts ihren größten Einfluß erreichen. Ein eigentliches gelehrtes Zusammenarbeiten von Mann und Frau, wie es etwa bei dem hervorragendsten Hellenisten seiner Zeit, Johann Jacob Reiske (1716—1774) und seiner Gattin, die ihrem Manne zu Liebe Latein und Griechisch lernte, der Fall war, ist aber bis auf die heutige Zeit immer nur eine seltene Ausnahme gewesen. Und wird es wohl in der Zukunft viel anders sein?

Abb. 127. Bildnis des Johann Joachim Winckelmann (1717—1768). Aus dem Kpfr. von J. F. Bause nach A. Maron 1768.

Vom einfachen Volke freilich trennte den Gelehrten jetzt wie stets ein tiefer Abgrund. Nur als Geistlicher, insbesondere als Reformator und Streittheologe, war der Gelehrte volkstümlich gewesen und auch da eigentlich nur in Äußerlichkeiten.

Und doch rekrutierten sich die Gelehrten in der Hauptsache aus den unteren Ständen. Daher auch bei so vielen bedeutenden Männern ihre anfänglich so große Armut, daher aber auch ihr staunenerregender, fast rührender Fleiß. Winckelmann war der Sohn eines armen Schuhflickers und mußte sich fünf Jahre lang in einem kleinen

Neffe der Altmark mit dem Elementar-Schulunterricht plagen. Um nun seiner Leidenschaft zum Studium, insbesondere seiner geliebten Griechen, aus mühsam zusammengebrachten Büchern genügen zu können, mußte er folgende Tagesordnung einhalten, wie ein Bekannter berichtet: „Den ganzen Winter kam er nicht ins Bett, sondern saß im Lehnstuhl in einem Winkel vor einem Tisch, auf beiden Seiten standen zwei Bücherrepositorien. Wenn er den Tag mit Schulstunden und dem Unterricht seiner Pensionäre zugebracht hatte, so studierte er für sich bis Mitternacht; dann löschte er seine Lampe und schlief bis 4 Uhr auf dem Stuhle. Um vier zündete er das Licht wieder an und las bis 6 Uhr, wo die Information seiner Schüler von neuem begann."

Wenn sich die meisten Gelehrten in ihrer Jugend mit Unterricht oder Stipendien durchhelfen mußten, so war ihr Einkommen als Universitätsprofessor, geschweige denn als Lehrer, im 18. Jahrhundert immer noch nur in den wenigsten Fällen ein einigermaßen reichliches. Die Besoldungen waren gering. In Halle z. B. bezogen im Jahre 1787 die 6 philosophischen Professoren zusammen nur 3950, die 5 Theologen nur 1789 Thaler. Dabei wird um jene Zeit ein Studentenwechsel von 200 bis 300 Thalern als knapper, von 400 bis 800 Thalern als ganz gewöhnlicher Wechsel bezeichnet. Die Kollegien-Honorare waren auch keineswegs sehr einträglich. Ihre drückende Lage nötigte daher die meisten Professoren, wohl das drei- bis vier-, ja fünffache der Stunden, wie sie heute Sitte sind, zu lesen und sich auch noch sonst durch die alten uns schon bekannten Mittel Brod zu verdienen. Nicht selten suchte der Staat wenigstens durch Ämterhäufung seinen Professoren ein anständiges Auskommen zu sichern. Der ordentliche Professor der Theologie Samuel Gottlieb Wald in Königsberg war um 1802 zugleich Professor linguae graecae, der Eloquenz und der Geschichte, Inspektor (Direktor) des Gymnasiums und endlich Konsistorial- und Schulrat.

Eine Folge der meist ärmlichen Herkunft der Gelehrten war der die Gesinnung freilich des ganzen deutschen Volks damals gefangen haltende, übertriebene Respekt vor den großen Herren. Pütter notiert in seiner Selbstbiographie gewissenhaft zu jedem Jahre die Herren von Stande, die bei ihm hörten. Der Unterwürfigkeit des Gelehrten entspricht sein Mangel an feinerem Gefühl für die Anstandspflichten seines Standes. Ein Gellert scheute sich nicht im geringsten, von aller Welt nicht nur Ehrengaben, sondern auch wirkliche Geschenke von pekuniärem Wert anzunehmen. Er that damit in den Augen seiner Zeitgenossen nichts Unerlaubtes. Denn es darf nicht verschwiegen werden, daß alle Welt, auch solche, die es am wenigsten hätten sein sollen, wie Beamte und Richter, Bestechungen zugänglich war.

Der Charakter der Gelehrten war immer noch ihre schwächste Seite. Im 17. Jahrhundert hat sich ein Conring nicht geschämt, von Ludwig XIV. eine Pension anzunehmen und direkt auf die Schädigung von Kaiser und Reich hinzuarbeiten. Leibniz, gewunden und nicht selten unaufrichtig, bewarb sich wiederholt, wenn auch vergeblich, um die Gunst des großen Königs. Ihren launenhaften Duodezfürsten und eingebildeten Stadtobrigkeiten, von mächtigen Königen und Kaisern garnicht zu reden, zu gefallen, haben sich genug Gelehrte bereit finden lassen, wider ihre bessere Überzeugung zu schreiben. Es war ein hartes, aber nicht ganz unberechtigtes Wort: „Gelehrte und H.... kann man für Geld haben." Doch muß man immer bedenken: der Deutsche hatte kein Vaterland. So werden wir es auch einem Johannes von Müller angesichts der brutalen Thatsache der Vergewaltigung Deutschlands nicht so arg verdenken, daß er in napoleonischem Solde endete.

Aber was so viele Gelehrte gesündigt haben, viele und darunter die hervorragendsten haben es gesühnt. An dem nationalen Aufschwung Deutschlands zu Beginn unseres Jahrhunderts haben neben unsern großen Dichtern auch unsere Gelehrten, ein Fichte, Schleiermacher, Steffens, Görres, aufs herrlichste mitgearbeitet. Und als der äußere Feind besiegt war, da sind die deutschen Gelehrten — man denke an die Göttinger Sieben und die Männer der Paulskirche — in dem Streben nach Einheit und politischer Selbstbestimmung der Nation vorangegangen. Das führt uns aber schon tief ins 19. Jahrhundert, dessen Betrachtung außerhalb unserer Aufgabe liegt.

Ende.

Inhaltsverzeichnis

Gedruckt in der Offizin W. Drugulin in Leipzig.